Gustave Flaubert

Trois Contes (1877)

Collection dirigée par
Marc Robert

Notes et dossier
Jean-Claude Jørgensen
agrégée de lettres modernes

TROIS CONTES

LIRE L'ŒUVRE

L'ŒUVRE DANS L'HISTOIRE

Conception graphique de la maquette :
c-album, Jean-Baptiste Taisne, Rachel Pfleger
Principe de couverture : Double
Mise en pages : Chesteroc International Graphics
Iconographie : Hatier Illustration
Suivi éditorial : Évelyne Brossier

ISBN : 978-2-218-96637-8

L'ŒUVRE DANS UN GENRE

VERS L'ÉPREUVE

ARGUMENTER, COMMENTER, RÉDIGER

UN CŒUR SIMPLE

I

Pendant un demi-siècle, les bourgeoises de Pont-l'Évêque[1] envièrent à Mme Aubain sa servante Félicité.

Pour cent francs par an[2], elle faisait la cuisine et le ménage, cousait, lavait, repassait, savait brider un cheval[3], engraisser les volailles, battre le beurre[4], et resta fidèle à sa maîtresse, – qui cependant n'était pas une personne agréable.

Elle[5] avait épousé un beau garçon sans fortune, mort au commencement de 1809, en lui laissant deux enfants très jeunes avec une quantité de dettes. Alors elle vendit ses immeubles, sauf la ferme de Toucques et la ferme de Geffosses[6], dont les rentes montaient à 5 000 francs tout au plus, et elle quitta sa maison de Saint-Melaine pour en habiter une autre moins dispendieuse[7], ayant appartenu à ses ancêtres et placée derrière les halles.

Cette maison, revêtue d'ardoises, se trouvait entre un passage et une ruelle aboutissant à la rivière. Elle avait intérieurement des différences de niveau qui faisaient trébucher.

---

1. *Pont-l'Évêque :* ville natale de la mère de Flaubert, chef-lieu de canton du Calvados, en Normandie; la Toucques est le nom d'une des rivières qui arrosent Pont-l'Évêque. \ **2.** *Cent francs par an :* 225 euros par an environ, somme très inférieure aux gages généralement versés aux domestiques à l'époque. \ **3.** *Brider un cheval :* mettre la bride à un cheval. \ **4.** *Battre le beurre :* battre la crème du lait dans une baratte pour obtenir le beurre. \ **5.** *Elle :* Mme Aubain. \ **6.** La famille Flaubert possédait une ferme à Toucques et une autre à Geffosses. \ **7.** *Moins dispendieuse :* moins coûteuse.

Un vestibule étroit séparait la cuisine de la *salle*[1] où Mme Aubain se tenait tout le long du jour, assise près de la croisée[2] dans un fauteuil de paille. Contre le lambris[3], peint en blanc, s'alignaient huit chaises d'acajou. Un vieux piano supportait, sous un baromètre, un tas pyramidal de boîtes et de cartons. Deux bergères[4] de tapisserie flanquaient la cheminée en marbre jaune et de style Louis XV[5]. La pendule, au milieu, représentait un temple de Vesta[6], – et tout l'appartement sentait un peu le moisi, car le plancher était plus bas que le jardin.

Au premier étage, il y avait d'abord la chambre de « Madame », très grande, tendue d'un papier à fleurs pâles, et contenant le portrait de « Monsieur » en costume de muscadin[7]. Elle communiquait avec une chambre plus petite, où l'on voyait deux couchettes d'enfants, sans matelas. Puis venait le salon, toujours fermé, et rempli de meubles recouverts d'un drap. Ensuite un corridor menait à un cabinet d'études ; des livres et des paperasses garnissaient les rayons d'une bibliothèque entourant de ses trois côtés un large bureau de bois noir. Les deux panneaux en retour disparaissaient sous des dessins à la plume, des paysages à la gouache et des gravures d'Audran[8], souvenirs d'un temps meilleur et d'un luxe évanoui. Une lucarne au second étage éclairait la chambre de Félicité, ayant vue sur les prairies.

Elle se levait dès l'aube, pour ne pas manquer la messe, et travaillait jusqu'au soir sans interruption ; puis, le dîner étant fini, la vaisselle en ordre et la porte bien close, elle enfouissait la bûche sous les cendres et s'endormait devant l'âtre, son

1. *La salle :* la pièce principale du rez-de-chaussée. \ **2.** *Croisée :* fenêtre. \ **3.** *Lambris :* panneau de bois recouvrant le bas des murs jusqu'à mi-hauteur. \ **4.** *Bergères :* fauteuils profonds et confortables. \ **5.** Louis XV régna de 1743 à 1774. \ **6.** *Temple de Vesta :* temple, en forme de rotonde, consacré à Vesta, déesse romaine du feu et du foyer domestique. \ **7.** *Muscadin :* jeune élégant royaliste en 1793 ; le mot vient du musc, parfum d'origine animale. \ **8.** *Audran :* famille d'artistes des XVIIe et XVIIIe siècles.

rosaire[1] à la main. Personne, dans les marchandages, ne montrait plus d'entêtement. Quant à la propreté, le poli de ses casseroles faisait le désespoir des autres servantes. Économe, elle mangeait avec lenteur, et recueillait du doigt sur la table les
50 miettes de son pain, – un pain de douze livres, cuit exprès pour elle, et qui durait vingt jours.

En toute saison elle portait un mouchoir d'indienne[2] fixé dans le dos par une épingle, un bonnet lui cachant les cheveux, des bas gris, un jupon rouge, et par-dessus sa camisole[3] un
55 tablier à bavette, comme les infirmières d'hôpital.

Son visage était maigre et sa voix aiguë. À vingt-cinq ans, on lui en donnait quarante. Dès la cinquantaine, elle ne marqua plus aucun âge ; – et, toujours silencieuse, la taille droite et les gestes mesurés, semblait une femme en bois, fonctionnant
60 d'une manière automatique.

II

Elle avait eu, comme une autre, son histoire d'amour.

Son père, un maçon, s'était tué en tombant d'un échafaudage. Puis sa mère mourut, ses sœurs se dispersèrent, un fermier la recueillit, et l'employa toute petite à garder les
65 vaches dans la campagne. Elle grelottait sous des haillons, buvait à plat ventre l'eau des mares, à propos de rien était battue, et finalement fut chassée pour un vol de trente sols[4],

1. *Rosaire :* grand chapelet dont chaque grain compte pour une prière (*Ave Maria* ou prière à la Vierge). \ 2. *Indienne :* tissu de coton imprimé ou peint ; le « mouchoir de cou » était un foulard. \ 3. *Camisole :* chemise courte à manches portée sous la robe. \ 4. *Sols :* le sou valait cinq centimes.

qu'elle n'avait pas commis. Elle entra dans une autre ferme, y devint fille de basse-cour, et, comme elle plaisait aux patrons, 70 ses camarades la jalousaient.

Un soir du mois d'août (elle avait alors dix-huit ans), ils l'entraînèrent à l'assemblée de Colleville. Tout de suite elle fut étourdie, stupéfaite par le tapage des ménétriers [1], les lumières dans les arbres, la bigarrure des costumes, les dentelles, les 75 croix d'or, cette masse de monde sautant [2] à la fois. Elle se tenait à l'écart modestement, quand un jeune homme d'apparence cossue [3], et qui fumait sa pipe les deux coudes sur le timon d'un banneau [4] vint l'inviter à la danse. Il lui paya du cidre, du café, de la galette, un foulard, et, s'imaginant qu'elle le devinait [5], 80 offrit de la reconduire. Au bord d'un champ d'avoine, il la renversa brutalement. Elle eut peur et se mit à crier. Il s'éloigna.

Un autre soir, sur la route de Beaumont, elle voulut dépasser un grand chariot de foin qui avançait lentement, et en frôlant 85 les roues elle reconnut Théodore.

Il l'aborda d'un air tranquille, disant qu'il fallait tout pardonner, puisque c'était « la faute de la boisson ».

Elle ne sut que répondre et avait envie de s'enfuir.

Aussitôt il parla des récoltes et des notables [6] de la 90 commune, car son père avait abandonné Colleville pour la ferme des Écots, de sorte que maintenant ils se trouvaient voisins. – « Ah ! » dit-elle. Il ajouta qu'on désirait l'établir [7]. Du reste, il n'était pas pressé, et attendait une femme à son goût. Elle baissa la tête. Alors il lui demanda si elle pensait au

1. *Ménétriers :* musiciens de campagne jouant lors des fêtes et des bals (souvent des violonistes). \ **2.** *Sautant :* dansant. \ **3.** *Cossue :* riche. \ **4.** *Timon d'un banneau :* le timon est la longue tige de bois, à l'avant de la charrette, de chaque côté de laquelle on attelle une bête de trait ; un banneau est une petite charrette. \ **5.** *Qu'elle le devinait :* qu'elle avait compris ses intentions galantes. \ **6.** *Notables :* les habitants du bourg qui ont une position sociale importante (curé, pharmacien, notaire, gros fermiers). \ **7.** *L'établir :* le marier, l'installer dans un métier sérieux.

95 mariage. Elle reprit, en souriant, que c'était mal de se moquer. – « Mais non, je vous jure ! » et du bras gauche il lui entoura la taille ; elle marchait soutenue par son étreinte ; ils se ralentirent. Le vent était mou, les étoiles brillaient, l'énorme charretée de foin oscillait devant eux ; et les quatre chevaux, en traî-
100 nant leurs pas, soulevaient de la poussière. Puis, sans commandement, ils tournèrent à droite. Il l'embrassa encore une fois. Elle disparut dans l'ombre.

Théodore, la semaine suivante, en obtint des rendez-vous.

Ils se rencontraient au fond des cours, derrière un mur, sous
105 un arbre isolé. Elle n'était pas innocente à la manière des demoiselles [1], – les animaux l'avaient instruite ; – mais la raison et l'instinct de l'honneur l'empêchèrent de faillir [2]. Cette résistance exaspéra l'amour de Théodore, si bien que pour le satisfaire (ou naïvement peut-être) il proposa de l'épouser. Elle
110 hésitait à le croire. Il fit de grands serments.

Bientôt il avoua quelque chose de fâcheux : ses parents, l'année dernière, lui avaient acheté un homme [3] ; mais d'un jour à l'autre on pourrait le reprendre ; l'idée de servir l'effrayait. Cette couardise fut pour Félicité une preuve de tendresse ; la
115 sienne en redoubla. Elle s'échappait la nuit, et, parvenue au rendez-vous, Théodore la torturait avec ses inquiétudes et ses instances [4].

Enfin, il annonça qu'il irait lui-même à la Préfecture prendre des informations, et les apporterait dimanche prochain entre
120 onze heures et minuit.

---

1. *Demoiselles :* jeunes filles non mariées, encore vierges et/ou jeunes filles d'origine sociale aisée ; contrairement à elles, Félicité connaissait les réalités physiques de l'amour. \ **2.** *Faillir :* commettre un péché en se donnant à Théodore. \ **3.** *Lui avaient acheté un homme :* la conscription (service militaire obligatoire) se faisait par tirage au sort ; à l'époque, il est courant, pour un jeune homme de famille aisée, de payer quelqu'un pour se faire remplacer par lui à l'armée ; Théodore est dans ce cas. Comme les hommes mariés étaient exemptés, il aurait pu épouser Félicité pour éviter le service militaire. \ **4.** *Instances :* demandes pressantes.

Le moment arrivé, elle courut vers l'amoureux.

À sa place, elle trouva un de ses amis.

Il lui apprit qu'elle ne devait plus le revoir. Pour se garantir de la conscription, Théodore avait épousé une vieille femme 125 très riche, Mme Lehoussais, de Toucques.

Ce fut un chagrin désordonné. Elle se jeta par terre, poussa des cris, appela le bon Dieu, et gémit toute seule dans la campagne jusqu'au soleil levant. Puis elle revint à la ferme, déclara son intention d'en partir ; et, au bout du mois, ayant 130 reçu ses comptes, elle enferma tout son petit bagage dans un mouchoir, et se rendit à Pont-l'Évêque.

Devant l'auberge, elle questionna une bourgeoise en capeline[1] de veuve, et qui précisément cherchait une cuisinière. La jeune fille ne savait pas grand-chose, mais paraissait avoir tant 135 de bonne volonté et si peu d'exigences[2], que Mme Aubain finit par dire :

– « Soit, je vous accepte ! »

Félicité, un quart d'heure après, était installée chez elle.

D'abord elle y vécut dans une sorte de tremblement que lui 140 causaient « le genre de la maison » et le souvenir de « Monsieur », planant sur tout ! Paul et Virginie[3], l'un âgé de sept ans, l'autre de quatre à peine, lui semblaient formés d'une matière précieuse ; elle les portait sur son dos comme un cheval, et Mme Aubain lui défendit de les baiser à chaque minute, ce 145 qui la mortifia[4]. Cependant elle se trouvait heureuse. La douceur du milieu avait fondu sa tristesse.

Tous les jeudis, des habitués venaient faire une partie de boston[5]. Félicité préparait d'avance les cartes et les chauf-

1. *Capeline :* chapeau de femme à large bord. \2. *Exigences :* conditions financières. \3. Les deux enfants tirent leur prénom d'un roman sentimental et célèbre de Bernardin de Saint-Pierre (*Paul et Virginie*, 1788). \4. *La mortifia :* la chagrina, l'humilia. \5. *Boston :* jeu de cinquante-deux cartes qui se jouait à quatre, futur jeu de bridge (à la mode à la fin du XVIIIe siècle).

ferettes[1]. Ils arrivaient à huit heures bien juste, et se retiraient avant le coup de onze.

Chaque lundi matin, le brocanteur qui logeait sous l'allée étalait par terre ses ferrailles. Puis la ville se remplissait d'un bourdonnement de voix, où se mêlaient des hennissements de chevaux, des bêlements d'agneaux, des grognements de cochons, avec le bruit sec des carrioles dans la rue. Vers midi, au plus fort du marché, on voyait paraître sur le seuil un vieux paysan de haute taille, la casquette en arrière, le nez crochu, et qui était Robelin, le fermier de Geffosses. Peu de temps après, – c'était Liébard, le fermier de Toucques, petit, rouge, obèse, portant une veste grise et des houseaux[2] armés d'éperons.

Tous deux offraient à leur propriétaire des poules ou des fromages. Félicité invariablement déjouait leurs astuces ; et ils s'en allaient pleins de considération pour elle.

À des époques indéterminées, Mme Aubain recevait la visite du marquis de Gremanville, un de ses oncles, ruiné par la crapule[3] et qui vivait à Falaise[4] sur le dernier lopin[5] de ses terres. Il se présentait toujours à l'heure du déjeuner, avec un affreux caniche dont les pattes salissaient tous les meubles. Malgré ses efforts pour paraître gentilhomme jusqu'à soulever son chapeau chaque fois qu'il disait : « Feu mon père[6] », l'habitude l'entraînant, il se versait à boire coup sur coup, et lâchait des gaillardises[7]. Félicité le poussait dehors poliment : « Vous en avez assez, Monsieur de Gremanville ! À une autre fois ! » Et elle refermait la porte.

Elle l'ouvrait avec plaisir devant M. Bourais, ancien avoué[8]. Sa cravate blanche et sa calvitie, le jabot[9] de sa chemise, son

1. *Chaufferettes :* pour se réchauffer les pieds, on utilisait des coffrets métalliques percés de trous et contenant des braises. \ **2.** *Houseaux :* guêtres. \ **3.** *Crapule :* débauche, ivrognerie. \ **4.** *Falaise :* bourgade du calvados à 60 km au sud-ouest de Pont-l'Évêque. \ **5.** *Lopin :* petite parcelle de terrain. \ **6.** *Feu mon père :* façon châtiée de dire « mon père qui est décédé ». \ **7.** *Gaillardises :* plaisanteries salaces, grivoises, osées. \ **8.** *Avoué :* homme de loi, avocat. \ **9.** *Jabot :* flot de dentelle fixée au col et descendant sur la poitrine.

ample redingote brune, sa façon de priser[1] en arrondissant le bras, tout son individu lui produisait ce trouble où nous jette le spectacle des hommes extraordinaires.

180 Comme il gérait les propriétés de « Madame », il s'enfermait avec elle pendant des heures dans le cabinet de « Monsieur », et craignait toujours de se compromettre, respectait infiniment la magistrature, avait des prétentions au latin[2].

Pour instruire les enfants d'une manière agréable, il leur fit 185 cadeau d'une géographie en estampes[3]. Elles représentaient différentes scènes du monde, des anthropophages coiffés de plumes, un singe enlevant une demoiselle, des Bédouins dans le désert, une baleine qu'on harponnait, etc.

Paul donna l'explication de ces gravures à Félicité. Ce fut 190 même toute son éducation littéraire[4].

Celle des enfants était faite par Guyot, un pauvre diable employé à la Mairie, fameux pour sa belle main[5], et qui repassait[6] son canif sur sa botte.

Quand le temps était clair, on s'en allait de bonne heure à 195 la ferme de Geffosses.

La cour est en pente, la maison dans le milieu ; et la mer, au loin, apparaît comme une tache grise.

Félicité retirait de son cabas des tranches de viande froide, et on déjeunait dans un appartement faisant suite à la laiterie. 200 Il était le seul reste d'une habitation de plaisance, maintenant disparue. Le papier de la muraille en lambeaux tremblait aux courants d'air. Mme Aubain penchait son front, accablée de souvenirs ; les enfants n'osaient plus parler. « Mais jouez donc ! » disait-elle ; ils décampaient.

---

1. *Priser :* aspirer une pincée de tabac par les narines. \ **2.** *Avait des prétentions au latin :* prétendait parler le latin. \ **3.** *Une géographie en estampes :* un livre de géographie composé de cartes et de planches imprimées. \ **4.** Félicité ne sait pas lire, comme on l'apprend dans le chapitre III. \ **5.** *Sa belle main :* sa belle écriture. \ **6.** *Repassait :* aiguisait (geste qui trahit les origines paysannes de Guyot); les plumes d'oies devaient être retaillées fréquemment.

205 Paul montait dans la grange, attrapait des oiseaux, faisait des ricochets sur la mare, ou tapait avec un bâton les grosses futailles[1] qui résonnaient comme des tambours.

Virginie donnait à manger aux lapins, se précipitait pour cueillir des bluets, et la rapidité de ses jambes découvrait ses 210 petits pantalons brodés.

Un soir d'automne, on s'en retourna par les herbages.

La lune à son premier quartier éclairait une partie du ciel, et un brouillard flottait comme une écharpe sur les sinuosités de la Toucques. Des bœufs, étendus au milieu du gazon, regar-215 daient tranquillement ces quatre personnes passer. Dans la troisième pâture[2] quelques-uns se levèrent, puis se mirent en rond devant elles. – « Ne craignez rien ! » dit Félicité ; et, murmurant une sorte de complainte[3], elle flatta sur l'échine celui qui se trouvait le plus près ; il fit volte-face, les autres l'imitèrent. Mais, 220 quand l'herbage suivant fut traversé, un beuglement formidable s'éleva. C'était un taureau, que cachait le brouillard. Il avança vers les deux femmes. Mme Aubain allait courir. – « Non ! non ! moins vite ! » Elles pressaient le pas cependant, et entendaient par-derrière un souffle sonore qui se rapprochait. Ses sabots, 225 comme des marteaux, battaient l'herbe de la prairie ; voilà qu'il galopait maintenant ! Félicité se retourna, et elle arrachait à deux mains des plaques de terre qu'elle lui jetait dans les yeux. Il baissait le mufle, secouait les cornes et tremblait de fureur en beuglant horriblement. Mme Aubain, au bout de l'herbage avec 230 ses deux petits, cherchait éperdue comment franchir le haut bord. Félicité reculait toujours devant le taureau, et continuellement lançait des mottes de gazon qui l'aveuglaient, tandis qu'elle criait : « Dépêchez-vous ! dépêchez-vous ! »

Mme Aubain descendit le fossé, poussa Virginie, Paul

1. *Futailles :* gros tonneaux (utilisés en Normandie pour le cidre). \ 2. *Pâture :* pâturage clôturé. \ 3. *Complainte :* il s'agit ici des interjections utilisées par les paysans pour se faire obéir des animaux.

235 ensuite, tomba plusieurs fois en tâchant de gravir le talus, et à force de courage y parvint.

Le taureau avait acculé Félicité contre une claire-voie; sa bave lui rejaillissait à la figure, une seconde de plus il l'éventrait. Elle eut le temps de se couler entre deux barreaux, et la 240 grosse bête, toute surprise, s'arrêta.

Cet événement, pendant bien des années, fut un sujet de conversation à Pont-l'Évêque. Félicité n'en tira aucun orgueil, ne se doutant même pas qu'elle eût rien fait d'héroïque.

Virginie l'occupait exclusivement; – car, elle eut, à la suite 245 de son effroi, une affection nerveuse, et M. Poupart, le docteur, conseilla les bains de mer de Trouville[1].

Dans ce temps-là, ils n'étaient pas fréquentés. Mme Aubain prit des renseignements, consulta Bourais, fit des préparatifs comme pour un long voyage.

250 Ses colis partirent la veille, dans la charrette de Liébard. Le lendemain, il amena deux chevaux dont l'un avait une selle de femme, munie d'un dossier de velours; et sur la croupe du second un manteau roulé formait une manière de siège. Mme Aubain y monta, derrière lui. Félicité se chargea de Virginie, 255 et Paul enfourcha l'âne de M. Lechaptois, prêté sous la condition d'en avoir grand soin.

La route était si mauvaise que ses huit kilomètres exigèrent deux heures. Les chevaux enfonçaient jusqu'aux paturons[2] dans la boue, et faisaient pour en sortir de brusques mouvements des 260 hanches; ou bien ils butaient contre les ornières; d'autres fois, il leur fallait sauter. La jument de Liébard, à de certains endroits, s'arrêtait tout à coup. Il attendait patiemment qu'elle se remît en marche; et il parlait des personnes dont les propriétés bordaient la route, ajoutant à leur histoire des

---

1. *Trouville :* sur la côte, à 15 km de Pont-l'Évêque. \ **2.** *Paturons :* partie inférieure des membres du cheval au-dessus du sabot.

265 réflexions morales. Ainsi, au milieu de Toucques, comme on passait sous des fenêtres entourées de capucines, il dit, avec un haussement d'épaules : – « En voilà une Mme Lehoussais, qui au lieu de prendre un jeune homme... » Félicité n'entendit pas le reste ; les chevaux trottaient, l'âne galopait ; tous enfilèrent 270 un sentier, une barrière tourna, deux garçons parurent, et l'on descendit devant le purin, sur le seuil même de la porte.

La mère Liébard, en apercevant sa maîtresse, prodigua les démonstrations de joie. Elle lui servit un déjeuner où il y avait un aloyau [1], des tripes, du boudin, une fricassée [2] de poulet, du 275 cidre mousseux, une tarte aux compotes et des prunes à l'eau-de-vie, accompagnant le tout de politesses à Madame qui paraissait en meilleure santé, à Mademoiselle devenue « magnifique », à M. Paul singulièrement « forci », sans oublier leurs grands-parents défunts que les Liébard avaient connus, étant 280 au service de la famille depuis plusieurs générations. La ferme avait, comme eux, un caractère d'ancienneté. Les poutrelles du plafond étaient vermoulues, les murailles noires de fumée, les carreaux gris de poussière. Un dressoir [3] en chêne supportait toutes sortes d'ustensiles, des brocs, des assiettes, des écuelles 285 d'étain, des pièges à loup, des forces [4] pour les moutons ; une seringue énorme [5] fit rire les enfants. Pas un arbre des trois cours qui n'eût des champignons à sa base, ou dans ses rameaux une touffe de gui. Le vent en avait jeté bas plusieurs. Ils avaient repris par le milieu ; et tous fléchissaient sous la quantité de 290 leurs pommes. Les toits de paille, pareils à du velours brun et inégaux d'épaisseur, résistaient aux plus fortes bourrasques. Cependant la charreterie [6] tombait en ruine. Mme Aubain dit qu'elle aviserait, et commanda de reharnacher les bêtes.

1. *Aloyau :* pièce de bœuf coupée le long des reins et non desossée (filet, romsteck, contre-filet). \ **2.** *Fricassée :* ragoût cuit en sauce à la casserole. \ **3.** *Dressoir :* buffet sans portes. \ **4.** *Forces :* grands ciseaux pour tondre les moutons. \ **5.** *Seringue énorme :* clystère en étain pour les lavements. \ **6.** *Charreterie :* abri pour les charrettes.

On fut encore une demi-heure avant d'atteindre Trouville. La petite caravane mit pied à terre pour passer les *Écores* ; c'était une falaise surplombant des bateaux ; et trois minutes plus tard, au bout du quai, on entra dans la cour de l'*Agneau d'or*, chez la mère David[1].

Virginie, dès les premiers jours, se sentit moins faible, résultat du changement d'air et de l'action des bains. Elle les prenait en chemise, à défaut d'un costume[2] ; et sa bonne la rhabillait dans une cabane de douanier qui servait aux baigneurs.

L'après-midi, on s'en allait avec l'âne au-delà des Roches Noires, du côté d'Hennequeville. Le sentier, d'abord, montait entre des terrains vallonnés comme la pelouse d'un parc, puis arrivait sur un plateau où alternaient des pâturages et des champs en labour. À la lisière du chemin, dans le fouillis des ronces, des houx se dressaient ; çà et là, un grand arbre mort faisait sur l'air bleu des zigzags avec ses branches.

Presque toujours on se reposait dans un pré, ayant Deauville à gauche, Le Havre à droite et en face la pleine mer. Elle était brillante de soleil, lisse comme un miroir, tellement douce qu'on entendait à peine son murmure ; des moineaux cachés pépiaient, et la voûte immense du ciel recouvrait tout cela. Mme Aubain, assise, travaillait à son ouvrage de couture ; Virginie près d'elle tressait des joncs ; Félicité sarclait des fleurs de lavande[3] ; Paul, qui s'ennuyait, voulait partir.

D'autres fois, ayant passé la Toucques en bateau, ils cherchaient des coquilles. La marée basse laissait à découvert des oursins, des gode-fiches[4], des méduses ; et les enfants couraient, pour saisir des flocons d'écume que le vent emportait. Les flots endormis, en tombant sur le sable, se déroulaient le long de la

1. L'Agneau d'or, *chez la mère David :* le nom de l'auberge et celui de la tenancière sont authentiques. \ **2.** *Costume :* on estimait alors qu'il fallait être habillé de la tête aux pieds pour prendre des bains de mer. \ **3.** *Fleurs de lavande :* Félicité s'en servait pour parfumer le linge. \ **4.** *Gode-fiches :* coquilles Saint-Jacques.

grève ; elle s'étendait à perte de vue, mais du côté de la terre avait pour limite les dunes la séparant du *Marais*, large prairie en forme
325 d'hippodrome. Quand ils revenaient par là, Trouville, au fond sur la pente du coteau, à chaque pas grandissait, et avec toutes ses maisons inégales semblait s'épanouir dans un désordre gai.

Les jours qu'il faisait trop chaud, ils ne sortaient pas de leur chambre. L'éblouissante clarté du dehors plaquait des barres de
330 lumière entre les lames des jalousies [1]. Aucun bruit dans le village. En bas, sur le trottoir, personne. Ce silence épandu augmentait la tranquillité des choses. Au loin, les marteaux des calfats [2] tamponnaient des carènes [3], et une brise lourde apportait la senteur du goudron.

335 Le principal divertissement était le retour des barques. Dès qu'elles avaient dépassé les balises, elles commençaient à louvoyer [4]. Leurs voiles descendaient aux deux tiers des mâts ; et, la misaine [5] gonflée comme un ballon, elles avançaient, glissaient dans le clapotement des vagues, jusqu'au milieu du port,
340 où l'ancre tout à coup tombait. Ensuite le bateau se plaçait contre le quai. Les matelots jetaient par-dessus le bordage des poissons palpitants ; une file de charrettes les attendait, et des femmes en bonnet de coton s'élançaient pour prendre les corbeilles et embrasser leurs hommes.

345 Une d'elles, un jour, aborda Félicité, qui peu de temps après entra dans la chambre, toute joyeuse. Elle avait retrouvé une sœur ; et Nastasie Barette, femme Leroux, apparut, tenant un nourrisson à sa poitrine, de la main droite un autre enfant, et à sa gauche un petit mousse les poings sur les hanches et le
350 béret sur l'oreille.

Au bout d'un quart d'heure, Mme Aubain la congédia.

---

1. *Jalousies :* persiennes. \ **2.** *Calfats :* ouvriers navals chargés d'étanchéifier les coques des bateaux avec des produits végétaux et du goudron. \ **3.** *Carènes :* parties immergées de la coque des bateaux. \ **4.** *Louvoyer :* naviguer contre le vent en tirant des bords. \ **5.** *Misaine :* voile basse du mât de l'avant d'un bateau.

On les rencontrait toujours aux abords de la cuisine, ou dans les promenades que l'on faisait. Le mari ne se montrait pas.

Félicité se prit d'affection pour eux. Elle leur acheta une
355 couverture, des chemises, un fourneau ; évidemment ils l'exploitaient. Cette faiblesse agaçait Mme Aubain, qui d'ailleurs n'aimait pas les familiarités du neveu, – car il tutoyait son fils ; – et, comme Virginie toussait et que la saison n'était plus bonne, elle revint à Pont-l'Évêque.

360 M. Bourais l'éclaira sur le choix d'un collège. Celui de Caen passait pour le meilleur. Paul y fut envoyé ; et fit bravement ses adieux, satisfait d'aller vivre dans une maison où il aurait des camarades.

Mme Aubain se résigna à l'éloignement de son fils, parce
365 qu'il était indispensable. Virginie y songea de moins en moins. Félicité regrettait son tapage. Mais une occupation vint la distraire ; à partir de Noël, elle mena tous les jours la petite fille au catéchisme[1].

III

Quand elle avait fait à la porte une génuflexion[2], elle s'avan-
370 çait sous la haute nef[3] entre la double ligne des chaises, ouvrait le banc[4] de Mme Aubain, s'asseyait, et promenait ses yeux autour d'elle.

Les garçons à droite, les filles à gauche, emplissaient les

1. *Catéchisme :* enseignement religieux dispensé aux enfants des familles chrétiennes. \ **2.** *Génuflexion :* action de se mettre à genoux en signe de soumission ou de respect. \ **3.** *Nef :* toute la partie centrale de l'église qui va du portail au chœur. \ **4.** *Ouvrait le banc :* « avoir son banc » à l'église était un privilège réservé aux familles aisées.

stalles[1] du chœur ; le curé se tenait debout près du lutrin[2] ; sur
375 un vitrail de l'abside[3] le Saint-Esprit dominait la Vierge ; un autre la montrait à genoux devant l'Enfant-Jésus, et, derrière le tabernacle[4], un groupe en bois représentait saint Michel terrassant le dragon[5].

Le prêtre fit d'abord un abrégé de l'Histoire sainte. Elle croyait
380 voir le paradis, le déluge, la tour de Babel, des villes en flammes, des peuples qui mouraient, des idoles renversées[6] ; et elle garda de cet éblouissement le respect du Très-Haut[7] et la crainte de sa colère. Puis, elle pleura en écoutant la Passion[8]. Pourquoi l'avaient-ils crucifié, lui qui chérissait les enfants, nourrissait les
385 foules, guérissait les aveugles, et avait voulu, par douceur, naître au milieu des pauvres, sur le fumier d'une étable ? Les semailles, les moissons, les pressoirs, toutes ces choses familières dont parle l'Évangile, se trouvaient dans sa vie ; le passage de Dieu les avait sanctifiées ; et elle aima plus tendrement les agneaux par amour
390 de l'Agneau[9], les colombes[10] à cause du Saint-Esprit.

Elle avait peine à imaginer sa personne ; car il n'était pas seulement oiseau, mais encore un feu[11], et d'autres fois un souffle. C'est peut-être sa lumière qui voltige la nuit aux bords des marécages[12], son haleine qui pousse les nuées, sa voix qui

1. *Stalles :* sièges de bois disposés autour du chœur. **\2.** *Lutrin :* pupitre sur lequel sont posés les livres utilisés pendant la messe. **\3.** *Abside :* espace semi-circulaire derrière le chœur ; ce vitrail dans lequel le Saint-Esprit domine la Vierge fait écho à celui qui est évoqué dans la dernière phrase de *La Légende de saint Julien l'Hospitalier.* **\4.** *Tabernacle :* petite armoire fermant à clé, dans laquelle sont conservées les hosties ; celles-ci symbolisent le corps du Christ. **\5.** *Saint Michel terrassant le dragon :* Flaubert décrit un vitrail (aujourd'hui détruit) qui existait véritablement dans l'église Saint-Michel de Pont-l'Évêque. Dans *La Légende de saint Julien l'Hospitalier*, c'est le héros du récit qui terrasse les dragons. **\6.** *Elle croyait voir* [...] *idoles renversées :* ces allusions renvoient aux premiers épisodes de la Genèse dans l'Ancien Testament. **\7.** *Le Très-Haut :* Dieu. **\8.** *Passion :* récit des souffrances et de l'agonie du Christ pendant son chemin de croix et sa crucifixion. **\9.** *L'Agneau :* Jésus-Christ, « l'Agneau de Dieu ». **\10.** *Les colombes :* le Saint-Esprit est souvent représenté par des colombes dans l'iconographie chrétienne. **\11.** *Feu :* après la résurrection du Christ et son Ascension, le Saint-Esprit est descendu illuminer les apôtres sous la forme de langues de feu. **\12.** *Lumière* [...] *marécages :* allusion aux feux follets.

395 rend les cloches harmonieuses; et elle demeurait dans une adoration, jouissant de la fraîcheur des murs et de la tranquillité de l'église.

Quant aux dogmes[1], elle n'y comprenait rien, ne tâcha même pas de comprendre. Le curé discourait, les enfants récitaient, elle 400 finissait par s'endormir; et se réveillait tout à coup, quand ils faisaient en s'en allant claquer leurs sabots sur les dalles.

Ce fut de cette manière, à force de l'entendre, qu'elle apprit le catéchisme, son éducation religieuse ayant été négligée dans sa jeunesse; et dès lors elle imita toutes les pratiques de 405 Virginie, jeûnait comme elle, se confessait[2] avec elle. À la Fête-Dieu[3], elles firent ensemble un reposoir[4].

La première communion[5] la tourmentait d'avance. Elle s'agita pour les souliers, pour le chapelet, pour le livre[6], pour les gants. Avec quel tremblement elle aida sa mère à 410 l'habiller!

Pendant toute la messe, elle éprouva une angoisse. M. Bourais lui cachait un côté du chœur; mais juste en face, le troupeau des vierges[7] portant des couronnes blanches par-dessus leurs voiles abaissés formait comme un champ de neige; 415 et elle reconnaissait de loin la chère petite à son cou plus mignon et à son attitude recueillie. La cloche tinta[8]. Les têtes se courbèrent; il y eut un silence. Aux éclats de l'orgue, les

---

1. *Dogmes :* ici, points indiscutables de la doctrine chrétienne. \ **2.** *Se confessait :* dans la religion catholique, la confession consiste à confier ses fautes à un prêtre qui a le pouvoir d'accorder le pardon de Dieu et de prescrire des pénitences. \ **3.** *Fête-Dieu :* cérémonie destinée à célébrer le corps du Christ présent dans l'hostie consacrée. \ **4.** *Reposoir :* petit autel dressé sur le parcours d'une procession et sur lequel on expose le Saint-Sacrement, c'est-à-dire l'hostie sacrée. \ **5.** *Communion :* cérémonie chrétienne lors de laquelle un prêtre donne au communiant une hostie à manger en souvenir du dernier repas du Christ (la Cène); selon le Nouveau Testament, c'est à ce moment que le Christ a dit: « Ceci est mon corps, ceci est mon sang. » Communier, c'est partager et recevoir le corps du Christ. \ **6.** *Le livre :* le livre de messes. \ **7.** *Le troupeau des vierges :* les fidèles sont les brebis d'un berger qui est le prêtre. \ **8.** *La cloche tinta :* c'est le moment où le prêtre présente l'hostie sacrée aux fidèles, lesquels s'inclinent par respect.

chantres[1] et la foule entonnèrent l'*Agnus Dei*[2]; puis le défilé des garçons commença; et, après eux, les filles se levèrent. Pas à
420 pas, et les mains jointes, elles allaient vers l'autel tout illuminé, s'agenouillaient sur la première marche, recevaient l'hostie successivement, et dans le même ordre revenaient à leurs prie-Dieu[3]. Quand ce fut le tour de Virginie, Félicité se pencha pour la voir; et, avec l'imagination que donnent les vraies tendresses,
425 il lui sembla qu'elle était elle-même cette enfant; sa figure devenait la sienne, sa robe l'habillait, son cœur lui battait dans la poitrine; au moment d'ouvrir la bouche, en fermant les paupières, elle manqua s'évanouir.

Le lendemain, de bonne heure, elle se présenta dans la
430 sacristie[4], pour que M. le curé lui donnât la communion. Elle la reçut dévotement, mais n'y goûta pas les mêmes délices.

Mme Aubain voulait faire de sa fille une personne accomplie; et, comme Guyot ne pouvait lui montrer ni l'anglais ni la musique, elle résolut de la mettre en pension chez les
435 Ursulines d'Honfleur[5].

L'enfant n'objecta rien. Félicité soupirait, trouvant Madame insensible. Puis elle songea que sa maîtresse, peut-être, avait raison. Ces choses dépassaient sa compétence.

Enfin, un jour, une vieille tapissière[6] s'arrêta devant la porte;
440 et il en descendit une religieuse qui venait chercher Mademoiselle. Félicité monta les bagages sur l'impériale, fit des recommandations au cocher, et plaça dans le coffre six pots de confiture et une douzaine de poires, avec un bouquet de violettes.

1. *Chantres :* hommes qui chantent dans une église. \ **2.** *Agnus Dei :* prière commençant par ces mots signifiant « Jésus est innocent comme un agneau ». \ **3.** *Prie-dieu :* chaise basse, dont le haut dossier sert d'accoudoir et sur laquelle on s'agenouille pour prier face à l'autel. \ **4.** *Sacristie :* lieu où le prêtre range les objets du culte, où il se prépare et s'habille. \ **5.** *Ursulines d'Honfleur :* les Ursulines sont des religieuses appartenant à un ordre placé sous le patronage de sainte Ursule; Honfleur, chef-lieu de canton, est situé à une vingtaine de kilomètres au nord de Pont-l'Évêque, sur l'estuaire de la Seine. \ **6.** *Tapissière :* voiture légère à impériale sur laquelle on pouvait charger les bagages.

Virginie, au dernier moment, fut prise d'un grand sanglot ;
445 elle embrassait sa mère qui la baisait au front en répétant :
– « Allons ! du courage ! du courage ! » Le marchepied se releva,
la voiture partit.

Alors Mme Aubain eut une défaillance ; et le soir tous ses
amis, le ménage Lormeau, Mme Lechaptois, *ces* demoiselles
450 Rochefeuille, M. de Houppeville et Bourais se présentèrent
pour la consoler.

La privation de sa fille lui fut d'abord très douloureuse. Mais
trois fois la semaine elle en recevait une lettre, les autres jours
lui écrivait, se promenait dans son jardin, lisait un peu, et de
455 cette façon comblait le vide des heures.

Le matin, par habitude, Félicité entrait dans la chambre de
Virginie, et regardait les murailles. Elle s'ennuyait de n'avoir
plus à peigner ses cheveux, à lui lacer ses bottines, à la border
dans son lit, – et de ne plus voir continuellement sa gentille
460 figure, de ne plus la tenir par la main quand elles sortaient
ensemble. Dans son désœuvrement, elle essaya de faire de la
dentelle. Ses doigts trop lourds cassaient les fils ; elle n'entendait à rien[1], avait perdu le sommeil, suivant son mot, était
« minée ».

465 Pour « se dissiper[2] », elle demanda la permission de recevoir
son neveu Victor.

Il arrivait le dimanche après la messe, les joues roses, la
poitrine nue, et sentant l'odeur de la campagne qu'il avait
traversée. Tout de suite, elle dressait son couvert. Ils déjeunaient
470 l'un en face de l'autre ; et, mangeant elle-même le moins possible
pour épargner la dépense, elle le bourrait tellement de nourriture qu'il finissait par s'endormir. Au premier coup des vêpres[3],
elle le réveillait, brossait son pantalon, nouait sa cravate, et se

1. *Elle n'entendait à rien :* elle ne s'entendait plus à rien, n'était plus bonne à rien. \ **2.** *Se dissiper :* se distraire. \ **3.** *Vêpres :* messe célébrée en fin d'après-midi.

rendait à l'église, appuyée sur son bras dans un orgueil maternel.

475 Ses parents le chargeaient toujours d'en tirer quelque chose, soit un paquet de cassonade[1], du savon, de l'eau-de-vie, parfois même de l'argent. Il apportait ses nippes[2] à raccommoder ; et elle acceptait cette besogne, heureuse d'une occasion qui le forçait à revenir.

480 Au mois d'août, son père l'emmena au cabotage[3].

C'était l'époque des vacances. L'arrivée des enfants la consola. Mais Paul devenait capricieux, et Virginie n'avait plus l'âge d'être tutoyée, ce qui mettait une gêne, une barrière entre elles.

485 Victor alla successivement à Morlaix[4], à Dunkerque et à Brighton[5] ; au retour de chaque voyage, il lui offrait un cadeau. La première fois, ce fut une boîte en coquilles ; la seconde, une tasse à café ; la troisième, un grand bonhomme en pain d'épice. Il embellissait, avait la taille bien prise, un peu de moustache, 490 de bons yeux francs, et un petit chapeau de cuir, placé en arrière comme un pilote[6]. Il l'amusait en lui racontant des histoires mêlées de termes marins.

Un lundi, 14 juillet 1819 (elle n'oublia pas la date), Victor annonça qu'il était engagé au long cours, et, dans la nuit du 495 surlendemain, par le paquebot de Honfleur, irait rejoindre sa goélette[7], qui devait démarrer du Havre prochainement. Il serait, peut-être, deux ans parti.

La perspective d'une telle absence désola Félicité ; et pour lui dire encore adieu, le mercredi soir, après le dîner de Madame, 500 elle chaussa des galoches[8], et avala les quatre lieues[9] qui séparent Pont-l'Évêque de Honfleur.

---

1. *Cassonade :* sucre de canne non raffiné. \ **2.** *Nippes :* vêtements (non péjoratif). \ **3.** *Cabotage :* navigation à petite distance des côtes. \ **4.** *Morlaix :* port de pêche breton. \ **5.** *Brighton :* ville anglaise sur la Manche. \ **6.** *Pilote :* marin bon connaisseur du port et qui remplace le timonier d'un grand navire lors des manœuvres d'approche. \ **7.** *Goélette :* voilier rapide à deux mâts. \ **8.** *Galoches :* sabots creusés dans du hêtre ou de l'aulne. \ **9.** *Lieues :* une lieue mesurait quatre kilomètres environ.

Quand elle fut devant le Calvaire, au lieu de prendre à gauche, elle prit à droite, se perdit dans des chantiers[1], revint sur ses pas ; des gens qu'elle accosta l'engagèrent à se hâter. Elle 505 fit le tour du bassin rempli de navires, se heurtait contre des amarres ; puis le terrain s'abaissa, des lumières s'entrecroisèrent, et elle se crut folle, en apercevant des chevaux dans le ciel.

Au bord du quai, d'autres hennissaient, effrayés par la mer. Un palan[2] qui les enlevait les descendait dans un bateau, où des 510 voyageurs se bousculaient entre les barriques de cidre, les paniers de fromage, les sacs de grain ; on entendait chanter des poules, le capitaine jurait ; et un mousse restait accoudé sur le bossoir[3], indifférent à tout cela. Félicité, qui ne l'avait pas reconnu, criait : « Victor ! » Il leva la tête ; elle s'élançait, quand 515 on retira l'échelle tout à coup.

Le paquebot, que des femmes halaient[4] en chantant, sortit du port. Sa membrure[5] craquait, les vagues pesantes fouettaient sa proue. La voile avait tourné, on ne vit plus personne ; – et, sur la mer argentée par la lune, il faisait une tache noire 520 qui pâlissait toujours, s'enfonça, disparut.

Félicité, en passant près du Calvaire[6], voulut recommander à Dieu ce qu'elle chérissait le plus ; et elle pria pendant longtemps, debout, la face baignée de pleurs, les yeux vers les nuages. La ville dormait, des douaniers se promenaient ; et de 525 l'eau tombait sans discontinuer par les trous de l'écluse, avec un bruit de torrent. Deux heures sonnèrent.

Le parloir[7] n'ouvrirait pas avant le jour. Un retard, bien sûr, contrarierait Madame ; et, malgré son désir d'embrasser l'autre enfant, elle s'en retourna. Les filles de l'auberge s'éveillaient, 530 comme elle entrait dans Pont-l'Évêque.

1. *Chantiers :* chantiers de construction navale. \ **2.** *Palan :* appareil de levage. \ **3.** *Bossoir :* pièce de bois où est fixée l'ancre. \ **4.** *Halaient :* tiraient. \ **5.** *Membrure :* charpente et mâts d'un navire. \ **6.** *Calvaire :* grande croix rappelant la Passion du Christ, souvent placée à un carrefour. \ **7.** *Le parloir :* le parloir du couvent des Ursulines.

Le pauvre gamin durant des mois allait donc rouler sur les flots ! Ses précédents voyages ne l'avaient pas effrayé. De l'Angleterre et de la Bretagne, on revenait ; mais l'Amérique, les Colonies, les Îles, cela était perdu dans une région incertaine, à l'autre bout du monde.

Dès lors, Félicité pensa exclusivement à son neveu. Les jours de soleil, elle se tourmentait de la soif ; quand il faisait de l'orage, craignait pour lui la foudre. En écoutant le vent qui grondait dans la cheminée et emportait les ardoises, elle le voyait battu par cette même tempête, au sommet d'un mât fracassé, tout le corps en arrière, sous une nappe d'écume ; ou bien, – souvenirs de la géographie en estampes, – il était mangé par les sauvages, pris dans un bois par des singes, se mourait le long d'une plage déserte. Et jamais elle ne parlait de ses inquiétudes.

Mme Aubain en avait d'autres sur sa fille.

Les bonnes sœurs trouvaient qu'elle était affectueuse, mais délicate. La moindre émotion l'énervait [1]. Il fallut abandonner le piano.

Sa mère exigeait du couvent une correspondance réglée. Un matin que le facteur n'était pas venu, elle s'impatienta ; et elle marchait dans la salle, de son fauteuil à la fenêtre. C'était vraiment extraordinaire ! depuis quatre jours, pas de nouvelles !

Pour qu'elle se consolât par son exemple, Félicité lui dit :

– « Moi, Madame, voilà six mois que je n'en ai reçu !... »

– « De qui donc ?... »

La servante répliqua doucement :

– « Mais... de mon neveu ! »

– « Ah ! votre neveu ! » Et, haussant les épaules, Mme Aubain reprit sa promenade, ce qui voulait dire : « Je n'y pensais

1. *L'énervait* : lui faisait perdre son énergie, ses forces physiques et morales.

pas!... Au surplus, je m'en moque! un mousse, un gueux, belle affaire!... tandis que ma fille... Songez donc!... »

Félicité, bien que nourrie[1] dans la rudesse, fut indignée
565 contre Madame, puis oublia.

Il lui paraissait tout simple de perdre la tête à l'occasion de la petite.

Les deux enfants avaient une importance égale; un lien de son cœur les unissait, et leurs destinées devaient être la
570 même.

Le pharmacien lui apprit que le bateau de Victor était arrivé à La Havane[2]. Il avait lu ce renseignement dans une gazette[3].

À cause des cigares, elle imaginait La Havane un pays où
575 l'on ne fait pas autre chose que de fumer, et Victor circulait parmi les nègres[4] dans un nuage de tabac. Pouvait-on « en cas de besoin » s'en retourner par terre? À quelle distance était-ce de Pont-l'Évêque? Pour le savoir, elle interrogea M. Bourais.

Il atteignit son atlas, puis commença des explications sur les
580 longitudes, et il avait un beau sourire de cuistre[5] devant l'ahurissement de Félicité. Enfin, avec son porte-crayon, il indiqua dans les découpures d'une tache ovale un point noir, imperceptible, en ajoutant : « Voici. » Elle se pencha sur la carte; ce réseau de lignes coloriées fatiguait sa vue, sans lui rien
585 apprendre; et Bourais l'invitant à dire ce qui l'embarrassait, elle le pria de lui montrer la maison où demeurait Victor. Bourais leva les bras, il éternua, rit énormément; une candeur[6] pareille excitait sa joie; et Félicité n'en comprenait pas le motif, – elle qui s'attendait peut-être à voir jusqu'au portrait de son
590 neveu, tant son intelligence était bornée!

1. *Nourrie :* élevée, éduquée. \ **2.** *La Havane :* capitale de Cuba. \ **3.** *Gazette :* journal. \ **4.** *Nègres :* noirs; ce terme n'est devenu péjoratif qu'au XXe siècle. \ **5.** *Cuistre :* pédant prétentieux et ridicule. \ **6.** *Candeur :* naïveté.

Ce fut quinze jours après que Liébard, à l'heure du marché comme d'habitude, entra dans la cuisine, et lui remit une lettre qu'envoyait son beau-frère. Ne sachant lire aucun des deux, elle eut recours à sa maîtresse.

595 Mme Aubain, qui comptait les mailles d'un tricot, le posa près d'elle, décacheta la lettre, tressaillit, et, d'une voix basse, avec un regard profond :

– « C'est un malheur… qu'on vous annonce. Votre neveu… »

Il était mort. On n'en disait pas davantage.

600 Félicité tomba sur une chaise, en s'appuyant la tête à la cloison, et ferma ses paupières, qui devinrent roses tout à coup. Puis, le front baissé, les mains pendantes, l'œil fixe, elle répétait par intervalles :

– « Pauvre petit gars ! pauvre petit gars ! »

605 Liébard la considérait en exhalant des soupirs. Mme Aubain tremblait un peu.

Elle lui proposa d'aller voir sa sœur, à Trouville.

Félicité répondit, par un geste, qu'elle n'en avait pas besoin.

Il y eut un silence. Le bonhomme Liébard jugea convenable 610 de se retirer.

Alors elle dit :

– « Ça ne leur fait rien, à eux ! »

Sa tête retomba ; et machinalement elle soulevait, de temps à autre, les longues aiguilles sur la table à ouvrage.

615 Des femmes passèrent dans la cour avec un bard[1] d'où dégouttelait du linge.

En les apercevant par les carreaux, elle se rappela sa lessive ; l'ayant coulée[2] la veille, il fallait aujourd'hui la rincer ; et elle sortit de l'appartement.

---

1. *Bard :* sorte de brancard qui servait à transporter le linge lavé. \ 2. *Coulée :* couler le linge signifie le mettre à tremper et à bouillir dans un mélange de potasse et de soude avant de le laver avec un battoir et de le rincer au lavoir.

620 Sa planche et son tonneau étaient au bord de la Toucques. Elle jeta sur la berge un tas de chemises, retroussa ses manches, prit son battoir; et les coups forts qu'elle donnait s'entendaient dans les autres jardins à côté. Les prairies étaient vides, le vent agitait la rivière; au fond, de grandes herbes s'y penchaient, 625 comme des chevelures de cadavres flottant dans l'eau. Elle retenait sa douleur, jusqu'au soir fut très brave; mais, dans sa chambre, elle s'y abandonna, à plat ventre sur son matelas, le visage dans l'oreiller, et les deux poings contre les tempes.

Beaucoup plus tard, par le capitaine de Victor lui-même, 630 elle connut les circonstances de sa fin. On l'avait trop saigné[1] à l'hôpital, pour la fièvre jaune[2]. Quatre médecins le tenaient à la fois. Il était mort immédiatement, et le chef avait dit :

– « Bon ! encore un ! »

Ses parents l'avaient toujours traité avec barbarie. Elle aima 635 mieux ne pas les revoir; et ils ne firent aucune avance, par oubli, ou endurcissement de misérables[3].

Virginie s'affaiblissait.

Des oppressions, de la toux, une fièvre continuelle et des marbrures aux pommettes décelaient quelque affection 640 profonde[4]. M. Poupart avait conseillé un séjour en Provence. Mme Aubain s'y décida, et eût tout de suite repris sa fille à la maison, sans le climat[5] de Pont-l'Évêque.

Elle fit un arrangement avec un loueur de voitures, qui la menait au couvent chaque mardi. Il y a dans le jardin une 645 terrasse d'où l'on découvre la Seine. Virginie s'y promenait à son bras, sur les feuilles de pampre[6] tombées. Quelquefois le soleil traversant les nuages la forçait à cligner ses paupières,

1. *Trop saigné :* la saignée était encore une pratique courante des médecins au XIXe siècle; elle consistait à faire couler du sang pour « purger » le corps de ses humeurs. En réalité, elle affaiblissait surtout un peu plus le malade. \ **2.** *Fièvre jaune :* maladie tropicale redoutable. \ **3.** *Misérables :* pauvres gens. \ **4.** *Des oppressions* […] *affection profonde :* les symptômes sont ceux d'une maladie pulmonaire. \ **5** *Climat :* climat humide. \ **6** *Pampre :* vigne.

pendant qu'elle regardait les voiles au loin et tout l'horizon, depuis le château de Tancarville jusqu'aux phares du Havre.
650 Ensuite on se reposait sous la tonnelle. Sa mère s'était procuré un petit fût d'excellent vin de Malaga; et, riant à l'idée d'être grise, elle en buvait deux doigts, pas davantage.

Ses forces reparurent. L'automne s'écoula doucement. Félicité rassurait Mme Aubain. Mais, un soir qu'elle avait été
655 aux environs faire une course, elle rencontra devant la porte le cabriolet[1] de M. Poupart; et il était dans le vestibule. Mme Aubain nouait son chapeau.

– « Donnez-moi ma chaufferette, ma bourse, mes gants; plus vite donc ! »

660 Virginie avait une fluxion de poitrine, c'était peut-être désespéré.

– « Pas encore ! » dit le médecin; et tous deux montèrent dans la voiture, sous des flocons de neige qui tourbillonnaient. La nuit allait venir. Il faisait très froid.

665 Félicité se précipita dans l'église, pour allumer un cierge. Puis elle courut après le cabriolet, qu'elle rejoignit une heure plus tard, sauta légèrement par-derrière, où elle se tenait aux torsades, quand une réflexion lui vint : « La cour n'était pas fermée ! si des voleurs s'introduisaient ? » Et elle descendit.

670 Le lendemain, dès l'aube, elle se présenta chez le docteur. Il était rentré, et reparti à la campagne. Puis elle resta dans l'auberge, croyant que des inconnus apporteraient une lettre. Enfin, au petit jour, elle prit la diligence de Lisieux[2].

Le couvent se trouvait au fond d'une ruelle escarpée. Vers le
675 milieu, elle entendit des sons étranges, un glas[3] de mort. « C'est pour d'autres », pensa-t-elle; et Félicité tira violemment le marteau[4].

1. *Cabriolet :* voiture légère à deux roues et à capote amovible. \ **2.** *Lisieux :* bourgade à 17 km au sud de Pont-l'Évêque. \ **3.** *Glas :* tintement lent d'une cloche d'église pour annoncer la mort de quelqu'un. \ **4.** *Marteau :* pièce métallique qui sert à frapper à la porte.

Au bout de plusieurs minutes, des savates se traînèrent, la porte s'entrebâilla, et une religieuse parut.

680 La bonne sœur avec un air de componction[1] dit qu'« elle venait de passer[2] ». En même temps, le glas de Saint-Léonard redoublait.

Félicité parvint au second étage.

Dès le seuil de la chambre, elle aperçut Virginie étalée sur 685 le dos, les mains jointes, la bouche ouverte, et la tête en arrière sous une croix noire s'inclinant vers elle, entre les rideaux immobiles, moins pâles que sa figure. Mme Aubain, au pied de la couche qu'elle tenait dans ses bras, poussait des hoquets d'agonie. La supérieure était debout, à droite. Trois chandeliers 690 sur la commode faisaient des taches rouges, et le brouillard blanchissait les fenêtres. Des religieuses emportèrent Mme Aubain.

Pendant deux nuits, Félicité ne quitta pas la morte. Elle répétait les mêmes prières, jetait de l'eau bénite sur les draps, 695 revenait s'asseoir, et la contemplait. À la fin de la première veille, elle remarqua que la figure avait jauni, les lèvres bleuirent, le nez se pinçait, les yeux s'enfonçaient. Elle les baisa plusieurs fois; et n'eût pas éprouvé un immense étonnement si Virginie les eût rouverts; pour de pareilles âmes le surnaturel 700 est tout simple. Elle fit sa toilette, l'enveloppa de son linceul, la descendit dans sa bière[3], lui posa une couronne, étala ses cheveux. Ils étaient blonds, et extraordinaires de longueur à son âge. Félicité en coupa une grosse mèche, dont elle glissa la moitié dans sa poitrine, résolue à ne jamais s'en dessaisir.

705 Le corps fut ramené à Pont-l'Évêque, suivant les intentions de Mme Aubain, qui suivait le corbillard, dans une voiture fermée.

---

1. *Componction :* tristesse et gravité sans doute affectées ici. \ **2.** *Passer :* trépasser, mourir. \ **3.** *Bière :* cercueil.

Après la messe, il fallut encore trois quarts d'heure pour atteindre le cimetière. Paul marchait en tête et sanglotait.
710 M. Bourais était derrière, ensuite les principaux habitants, les femmes, couvertes de mantes [1] noires, et Félicité. Elle songeait à son neveu, et, n'ayant pu lui rendre ces honneurs, avait un surcroît de tristesse, comme si on l'eût enterré avec l'autre.

Le désespoir de Mme Aubain fut illimité.

715 D'abord elle se révolta contre Dieu, le trouvant injuste de lui avoir pris sa fille – elle qui n'avait jamais fait de mal, et dont la conscience était si pure ! Mais non ! elle aurait dû l'emporter dans le Midi. D'autres docteurs l'auraient sauvée ! Elle s'accusait, voulait la rejoindre, criait en détresse au milieu de ses
720 rêves. Un, surtout, l'obsédait. Son mari, costumé comme un matelot, revenait d'un long voyage, et lui disait en pleurant qu'il avait reçu l'ordre d'emmener Virginie. Alors ils se concertaient pour découvrir une cachette quelque part.

Une fois, elle rentra du jardin, bouleversée. Tout à l'heure
725 (elle montrait l'endroit) le père et la fille lui étaient apparus l'un auprès de l'autre, et ils ne faisaient rien ; ils la regardaient.

Pendant plusieurs mois, elle resta dans sa chambre, inerte. Félicité la sermonnait doucement ; il fallait se conserver pour
730 son fils, et pour l'autre, en souvenir « d'elle ».

– « Elle ? » reprenait Mme Aubain, comme se réveillant. « Ah ! oui !... oui !... Vous ne l'oubliez pas ! » Allusion au cimetière, qu'on lui avait scrupuleusement défendu.

Félicité tous les jours s'y rendait.

735 À quatre heures précises, elle passait au bord des maisons, montait la côte, ouvrait la barrière, et arrivait devant la tombe de Virginie. C'était une petite colonne de marbre rose, avec une dalle dans le bas, et des chaînes autour enfermant un jardinet.

1. *Mantes* : grandes capes sans manches.

Les plates-bandes disparaissaient sous une couverture de fleurs. 740 Elle arrosait leurs feuilles, renouvelait le sable, se mettait à genoux pour mieux labourer la terre. Mme Aubain, quand elle put y venir, en éprouva un soulagement, une espèce de consolation.

Puis des années s'écoulèrent, toutes pareilles et sans autres 745 épisodes que le retour des grandes fêtes : Pâques, l'Assomption, la Toussaint. Des événements intérieurs faisaient une date, où l'on se reportait plus tard. Ainsi, en 1825, deux vitriers badigeonnèrent le vestibule ; en 1827, une portion du toit, tombant dans la cour, faillit tuer un homme. L'été de 750 1828, ce fut à Madame d'offrir le pain bénit ; Bourais, vers cette époque, s'absenta mystérieusement ; et les anciennes connaissances peu à peu s'en allèrent [1] : Guyot, Liébard, Mme Lechaptois, Robelin, l'oncle Gremanville, paralysé depuis longtemps.

755 Une nuit, le conducteur de la malle-poste [2] annonça dans Pont-l'Évêque la Révolution de Juillet [3]. Un sous-préfet nouveau, peu de jours après, fut nommé : le baron de Larsonnière, ex-consul en Amérique, et qui avait chez lui, outre sa femme, sa belle-sœur avec trois demoiselles, assez grandes déjà. On les apercevait sur 760 leur gazon, habillées de blouses flottantes ; elles possédaient un nègre et un perroquet. Mme Aubain eut leur visite, et ne manqua pas de la rendre. Du plus loin qu'elles paraissaient, Félicité accourait pour la prévenir. Mais une chose était seule capable de l'émouvoir, les lettres de son fils.

765 Il ne pouvait suivre aucune carrière, étant absorbé dans les estaminets [4]. Elle lui payait ses dettes ; il en refaisait d'autres ; et les soupirs que poussait Mme Aubain, en tricotant près de

1 *S'en allèrent :* moururent. \ **2.** *Malle-poste :* voiture rapide chargée du courrier et des dépêches. \ **3** *Révolution de Juillet :* le soulèvement du peuple parisien pendant les « Trois Glorieuses », c'est-à-dire les 27, 28 et 29 juillet 1830, entraîna la fin du règne de Charles X et prépara l'avènement de Louis-Philippe d'Orléans. \ **4.** *Estaminets :* cafés.

la fenêtre, arrivaient à Félicité, qui tournait son rouet[1] dans la cuisine.

770 Elles se promenaient ensemble le long de l'espalier[2]; et causaient toujours de Virginie, se demandant si telle chose lui aurait plu, en telle occasion ce qu'elle eût dit probablement.

Toutes ses petites affaires occupaient un placard dans la chambre à deux lits. Mme Aubain les inspectait le moins
775 souvent possible. Un jour d'été, elle se résigna; et des papillons s'envolèrent de l'armoire.

Ses robes étaient en ligne sous une planche où il y avait trois poupées, des cerceaux, un ménage[3], la cuvette qui lui servait. Elles retirèrent également les jupons, les bas, les mouchoirs, et
780 les étendirent sur les deux couches[4], avant de les replier. Le soleil éclairait ces pauvres objets, en faisait voir les taches, et des plis formés par les mouvements du corps. L'air était chaud et bleu, un merle gazouillait, tout semblait vivre dans une douceur profonde. Elles retrouvèrent un petit chapeau de peluche, à
785 longs poils, couleur marron; mais il était tout mangé de vermine. Félicité le réclama pour elle-même. Leurs yeux se fixèrent l'une sur l'autre, s'emplirent de larmes; enfin la maîtresse ouvrit ses bras, la servante s'y jeta; et elles s'étreignirent, satisfaisant leur douleur dans un baiser qui les égalisait.

790 C'était la première fois de leur vie, Mme Aubain n'étant pas d'une nature expansive. Félicité lui en fut reconnaissante comme d'un bienfait, et désormais la chérit avec un dévouement bestial et une vénération religieuse.

La bonté de son cœur se développa.

795 Quand elle entendait dans la rue les tambours d'un régiment en marche, elle se mettait devant la porte avec une cruche

1. *Rouet :* on filait à la main le chanvre et le lin grâce à un rouet actionné par une manivelle. \ **2.** *Espalier :* mur le long duquel sont plantés des arbres fruitiers. \ **3.** *Ménage :* jeu d'enfant composé d'objets de cuisine miniatures. \ **4.** *Couches :* lits.

de cidre, et offrait à boire aux soldats. Elle soigna des cholériques[1]. Elle protégeait les Polonais[2]; et même il y en eut un qui déclarait la vouloir épouser. Mais ils se fâchèrent; car un
800 matin, en rentrant de l'angélus[3], elle le trouva dans sa cuisine, où il s'était introduit, et accommodé une vinaigrette qu'il mangeait tranquillement.

Après les Polonais, ce fut le père Colmiche, un vieillard passant pour avoir fait des horreurs en 93[4]. Il vivait au bord
805 de la rivière, dans les décombres d'une porcherie. Les gamins le regardaient par les fentes du mur, et lui jetaient des cailloux qui tombaient sur son grabat[5], où il gisait, continuellement secoué par un catarrhe[6], avec des cheveux très longs, les paupières enflammées, et au bras une tumeur[7] plus
810 grosse que sa tête. Elle lui procura du linge, tâcha de nettoyer son bouge[8], rêvait à l'établir dans le fournil[9], sans qu'il gênât Madame. Quand le cancer[10] eut crevé, elle le pansa tous les jours, quelquefois lui apportait de la galette, le plaçait au soleil sur une botte de paille; et le pauvre vieux, en bavant
815 et en tremblant, la remerciait de sa voix éteinte, craignait de la perdre, allongeait les mains dès qu'il la voyait s'éloigner. Il mourut; elle fit dire une messe pour le repos de son âme.

Ce jour-là, il lui advint un grand bonheur : au moment du dîner, le nègre de Mme de Larsonnière se présenta, tenant le
820 perroquet dans sa cage, avec le bâton, la chaîne et le cadenas. Un billet de la baronne annonçait à Mme Aubain que, son mari étant élevé à une préfecture, ils partaient le soir; et elle la priait

1. *Cholériques :* une épidémie de choléra fit de nombreuses victimes en France en 1832. \ **2.** *Polonais :* de nombreux Polonais avaient trouvé refuge en France en 1830 après l'échec d'une insurrection contre l'occupation russe. \ **3.** *Angélus :* prière à la Vierge Marie. \ **4.** *Des horreurs en 93 :* en 1793, le régime s'appuie sur la terreur et de nombreuses exécutions ont lieu, à commencer par celle du roi Louis XVI. \ **5.** *Grabat :* mauvais lit. \ **6.** *Catarrhe :* inflammation des muqueuses des fosses nasales et des bronches. \ **7.** *Tumeur :* grosseur, gonflement anormal. \ **8.** *Bouge :* logement insalubre. \ **9.** *Fournil :* pièce où l'on faisait cuire le pain chez Mme Aubain. \ **10.** *Cancer :* sens imprécis de chancre, de grosseur, de tumeur au sens large.

d'accepter cet oiseau, comme un souvenir, et en témoignage de ses respects.

825 Il occupait depuis longtemps l'imagination de Félicité, car il venait d'Amérique ; et ce mot lui rappelait Victor, si bien qu'elle s'en informait auprès du nègre. Une fois même elle avait dit : – « C'est Madame qui serait heureuse de l'avoir ! »

Le nègre avait redit le propos à sa maîtresse, qui, ne pouvant
830 l'emmener, s'en débarrassait de cette façon.

IV

Il s'appelait Loulou [1]. Son corps était vert, le bout de ses ailes rose, son front bleu, et sa gorge dorée.

Mais il avait la fatigante manie de mordre son bâton, s'arrachait les plumes, éparpillait ses ordures, répandait l'eau de sa
835 baignoire ; Mme Aubain, qu'il ennuyait, le donna pour toujours à Félicité.

Elle entreprit de l'instruire ; bientôt il répéta : « Charmant garçon ! Serviteur, monsieur ! Je vous salue, Marie ! » Il était placé auprès de la porte, et plusieurs s'étonnaient qu'il ne
840 répondît pas au nom de Jacquot, puisque tous les perroquets s'appellent Jacquot. On le comparait à une dinde, à une bûche : autant de coups de poignard pour Félicité ! Étrange obstination de Loulou, ne parlant plus du moment qu'on le regardait !

1. Pour écrire *Un cœur simple*, Flaubert emprunta le 15 juillet 1876 un perroquet « Amazone » naturalisé au Muséum de Rouen. Il s'agit sans doute de celui qui se trouve aujourd'hui au musée Flaubert et d'Histoire de la médecine à Rouen, à moins que ce ne soit celui qui est conservé dans l'actuel petit bâtiment de Croisset.

Néanmoins il recherchait la compagnie ; car le dimanche, pendant que *ces* demoiselles Rochefeuille, monsieur de Houppeville et de nouveaux habitués : Onfroy l'apothicaire, monsieur Varin et le capitaine Mathieu, faisaient leur partie de cartes, il cognait les vitres avec ses ailes, et se démenait si furieusement qu'il était impossible de s'entendre.

La figure de Bourais, sans doute, lui paraissait très drôle. Dès qu'il l'apercevait, il commençait à rire, à rire de toutes ses forces. Les éclats de sa voix bondissaient dans la cour, l'écho les répétait, les voisins se mettaient à leurs fenêtres, riaient aussi ; et, pour n'être pas vu du perroquet, M. Bourais se coulait le long du mur, en dissimulant son profil avec son chapeau, atteignait la rivière, puis entrait par la porte du jardin ; et les regards qu'il envoyait à l'oiseau manquaient de tendresse.

Loulou avait reçu du garçon boucher une chiquenaude, s'étant permis d'enfoncer la tête dans sa corbeille ; et depuis lors il tâchait toujours de le pincer à travers sa chemise. Fabu menaçait de lui tordre le cou, bien qu'il ne fût pas cruel, malgré le tatouage de ses bras et ses gros favoris. Au contraire ! il avait plutôt du penchant pour le perroquet, jusqu'à vouloir, par humeur joviale, lui apprendre des jurons. Félicité, que ces manières effrayaient, le plaça dans la cuisine. Sa chaînette fut retirée, et il circulait par la maison.

Quand il descendait l'escalier, il appuyait sur les marches la courbe de son bec, levait la patte droite, puis la gauche ; et elle avait peur qu'une telle gymnastique ne lui causât des étourdissements. Il devint malade, ne pouvant plus parler ni manger. C'était sous sa langue une épaisseur, comme en ont les poules quelquefois. Elle le guérit, en arrachant cette pellicule avec ses ongles. M. Paul, un jour, eut l'imprudence de lui souffler aux narines la fumée d'un cigare ; une autre fois que Mme Lormeau l'agaçait du bout de son ombrelle, il en happa la virole ; enfin, il se perdit.

Elle l'avait posé sur l'herbe pour le rafraîchir, s'absenta une minute; et, quand elle revint, plus de perroquet! D'abord elle le chercha dans les buissons, au bord de l'eau et sur les toits, sans écouter sa maîtresse qui lui criait : – « Prenez donc garde! vous êtes folle! » Ensuite elle inspecta tous les jardins de Pont-l'Évêque; et elle arrêtait les passants : – « Vous n'auriez pas vu, quelquefois, par hasard, mon perroquet? » À ceux qui ne connaissaient pas le perroquet, elle en faisait la description. Tout à coup, elle crut distinguer derrière les moulins, au bas de la côte, une chose verte qui voltigeait. Mais au haut de la côte, rien! Un porte-balle[1] lui affirma qu'il l'avait rencontré tout à l'heure, à Melaine, dans la boutique de la mère Simon. Elle y courut. On ne savait pas ce qu'elle voulait dire. Enfin elle rentra, épuisée, les savates en lambeaux, la mort dans l'âme; et, assise au milieu du banc, près de Madame, elle racontait toutes ses démarches, quand un poids léger lui tomba sur l'épaule, Loulou! Que diable avait-il fait? Peut-être qu'il s'était promené aux environs!

Elle eut du mal à s'en remettre, ou plutôt ne s'en remit jamais.

Par suite d'un refroidissement, il lui vint une angine; peu de temps après, un mal d'oreilles. Trois ans plus tard, elle était sourde; et elle parlait très haut, même à l'église. Bien que ses péchés auraient pu sans déshonneur pour elle, ni inconvénient pour le monde, se répandre à tous les coins du diocèse, M. le curé jugea convenable de ne plus recevoir sa confession que dans la sacristie.

Des bourdonnements illusoires achevaient de la troubler. Souvent sa maîtresse lui disait : – « Mon Dieu! comme vous êtes bête! » elle répliquait :

– « Oui, Madame », en cherchant quelque chose autour d'elle.

1. *Porte-balle :* colporteur, mercier ambulant.

Le petit cercle de ses idées se rétrécit encore, et le carillon des cloches, le mugissement des bœufs, n'existaient plus. Tous les êtres fonctionnaient avec le silence des fantômes. Un seul bruit arrivait maintenant à ses oreilles, la voix du perroquet.

Comme pour la distraire, il reproduisait le tic-tac du tournebroche, l'appel aigu d'un vendeur de poisson, la scie du menuisier qui logeait en face ; et, aux coups de la sonnette, imitait Mme Aubain, – « Félicité ! la porte ! la porte ! »

Ils avaient des dialogues, lui, débitant à satiété les trois phrases de son répertoire, et elle, y répondant par des mots sans plus de suite, mais où son cœur s'épanchait. Loulou, dans son isolement, était presque un fils, un amoureux. Il escaladait ses doigts, mordillait ses lèvres, se cramponnait à son fichu ; et, comme elle penchait son front en branlant la tête à la manière des nourrices, les grandes ailes du bonnet et les ailes de l'oiseau frémissaient ensemble.

Quand des nuages s'amoncelaient et que le tonnerre grondait, il poussait des cris, se rappelant peut-être les ondées de ses forêts natales. Le ruissellement de l'eau excitait son délire ; il voletait, éperdu, montait au plafond, renversait tout, et par la fenêtre allait barboter dans le jardin ; mais revenait vite sur un des chenets [1], et, sautillant pour sécher ses plumes, montrait tantôt sa queue, tantôt son bec.

Un matin du terrible hiver de 1837, qu'elle l'avait mis devant la cheminée, à cause du froid, elle le trouva mort, au milieu de sa cage, la tête en bas, et les ongles dans les fils de fer. Une congestion l'avait tué, sans doute ? Elle crut à un empoisonnement par le persil ; et, malgré l'absence de toutes preuves, ses soupçons portèrent sur Fabu.

---

1. *Chenets* : pièces métalliques jumelles placées dans l'âtre d'une cheminée pour supporter les bûches.

Elle pleura tellement que sa maîtresse lui dit : – « Eh bien ! faites-le empailler ! »

940 Elle demanda conseil au pharmacien, qui avait toujours été bon pour le perroquet.

Il écrivit au Havre. Un certain Fellacher se chargea de cette besogne. Mais, comme la diligence égarait parfois les colis, elle résolut de le porter elle-même jusqu'à Honfleur.

945 Les pommiers sans feuilles se succédaient aux bords de la route. De la glace couvrait les fossés. Des chiens aboyaient autour des fermes ; et les mains sous son mantelet, avec ses petits sabots noirs et son cabas, elle marchait prestement, sur le milieu du pavé.

950 Elle traversa la forêt, dépassa le Haut-Chêne, atteignit Saint-Gatien.

Derrière elle, dans un nuage de poussière et emportée par la descente, une malle-poste au grand galop se précipitait comme une trombe. En voyant cette femme qui ne se dérangeait pas [1],
955 le conducteur se dressa par-dessus la capote, et le postillon [2] criait aussi, pendant que ses quatre chevaux qu'il ne pouvait retenir accéléraient leur train ; les deux premiers la frôlaient ; d'une secousse de ses guides, il les jeta dans le débord, mais furieux releva le bras, et à pleine volée, avec son grand fouet,
960 lui cingla du ventre au chignon un tel coup qu'elle tomba sur le dos.

Son premier geste, quand elle reprit connaissance, fut d'ouvrir son panier. Loulou n'avait rien, heureusement. Elle sentit une brûlure à la joue droite ; ses mains qu'elle y porta étaient
965 rouges. Le sang coulait.

Elle s'assit sur un mètre de cailloux [3], se tamponna le visage avec son mouchoir, puis elle mangea une croûte de pain, mise

1. *Cette femme qui ne se dérangeait pas :* Félicité est sourde. \ **2.** *Le postillon :* le conducteur est sur le siège et tient les rênes ; le postillon monte un des chevaux. \ **3.** *Un mètre de cailloux :* tas de cailloux placés le long des routes pour en permettre l'entretien.

dans son panier par précaution, et se consolait de sa blessure en regardant l'oiseau.

970 Arrivée au sommet d'Ecquemauville[1], elle aperçut les lumières de Honfleur qui scintillaient dans la nuit comme une quantité d'étoiles ; la mer, plus loin, s'étalait confusément. Alors une faiblesse l'arrêta ; et la misère de son enfance, la déception du premier amour, le départ de son neveu, la mort 975 de Virginie, comme les flots d'une marée, revinrent à la fois, et, lui montant à la gorge, l'étouffaient.

Puis elle voulut parler au capitaine du bateau ; et, sans dire ce qu'elle envoyait, lui fit des recommandations.

Fellacher garda longtemps le perroquet. Il le promettait 980 toujours pour la semaine prochaine ; au bout de six mois, il annonça le départ d'une caisse ; et il n'en fut plus question. C'était à croire que jamais Loulou ne reviendrait. « Ils me l'auront volé ! » pensait-elle.

Enfin il arriva, – et splendide, droit sur une branche d'arbre, 985 qui se vissait dans un socle d'acajou, une patte en l'air, la tête oblique, et mordant une noix, que l'empailleur par amour du grandiose avait dorée.

Elle l'enferma dans sa chambre.

Cet endroit, où elle admettait peu de monde, avait l'air tout 990 à la fois d'une chapelle et d'un bazar[2], tant il contenait d'objets religieux et de choses hétéroclites.

Une grande armoire gênait pour ouvrir la porte. En face de la fenêtre surplombant le jardin, un œil-de-bœuf[3] regardait la cour ; une table, près du lit de sangle, supportait un pot à 995 l'eau, deux peignes, et un cube de savon bleu dans une assiette ébréchée. On voyait contre les murs : des chapelets, des médailles, plusieurs bonnes Vierges, un bénitier en noix de

1. *Ecquemauville :* à 3 km au nord de Honfleur. \ 2. *Bazar :* magasin où l'on trouve une grande diversité de marchandises. \ 3. *Œil-de-bœuf :* lucarne ronde ou ovale.

coco ; sur la commode, couverte d'un drap comme un autel, la boîte en coquillages que lui avait donnée Victor ; puis un arrosoir et un ballon, des cahiers d'écriture, la géographie en estampes, une paire de bottines ; et au clou du miroir, accroché par ses rubans, le petit chapeau de peluche ! Félicité poussait même ce genre de respect si loin, qu'elle conservait une des redingotes de Monsieur. Toutes les vieilleries dont ne voulait plus Mme Aubain, elle les prenait pour sa chambre. C'est ainsi qu'il y avait des fleurs artificielles au bord de la commode, et le portrait du comte d'Artois[1] dans l'enfoncement de la lucarne.

Au moyen d'une planchette, Loulou fut établi sur un corps de cheminée qui avançait dans l'appartement. Chaque matin, en s'éveillant, elle l'apercevait à la clarté de l'aube, et se rappelait alors les jours disparus, et d'insignifiantes actions jusqu'en leurs moindres détails, sans douleur, pleine de tranquillité.

Ne communiquant avec personne, elle vivait dans une torpeur de somnambule. Les processions de la Fête-Dieu la ranimaient. Elle allait quêter chez les voisines des flambeaux et des paillassons, afin d'embellir le reposoir que l'on dressait dans la rue.

À l'église, elle contemplait toujours le Saint-Esprit, et observa qu'il avait quelque chose du perroquet. Sa ressemblance lui parut encore plus manifeste sur une image d'Épinal[2], représentant le baptême de Notre-Seigneur. Avec ses ailes de pourpre et son corps d'émeraude, c'était vraiment le portrait de Loulou.

L'ayant acheté, elle le suspendit à la place du comte d'Artois, – de sorte que, du même coup d'œil, elle les voyait ensemble. Ils s'associèrent dans sa pensée, le perroquet se trouvant

1. *Comte d'Artois :* futur Charles X. \ 2. *Image d'Épinal :* image populaire coloriée d'un charme naïf.

sanctifié par ce rapport avec le Saint-Esprit, qui devenait plus vivant à ses yeux et intelligible. Le Père, pour s'énoncer, n'avait pu choisir une colombe, puisque ces bêtes-là n'ont pas de voix, mais plutôt un des ancêtres de Loulou. Et Félicité priait en regardant l'image, mais de temps à autre se tournait un peu vers l'oiseau.

Elle eut envie de se mettre dans les demoiselles de la Vierge. Mme Aubain l'en dissuada.

Un événement considérable surgit : le mariage de Paul.

Après avoir été d'abord clerc de notaire, puis dans le commerce, dans la douane, dans les contributions, et même avoir commencé des démarches pour les eaux et forêts, à trente-six ans, tout à coup, par une inspiration du Ciel, il avait découvert sa voie : l'enregistrement[1] ! et y montrait de si hautes facultés qu'un vérificateur lui avait offert sa fille, en lui promettant sa protection.

Paul, devenu sérieux, l'amena chez sa mère.

Elle dénigra les usages de Pont-l'Évêque, fit la princesse, blessa Félicité. Mme Aubain, à son départ, sentit un allégement.

La semaine suivante, on apprit la mort de M. Bourais, en basse Bretagne, dans une auberge. La rumeur d'un suicide se confirma ; des doutes s'élevèrent sur sa probité. Mme Aubain étudia ses comptes, et ne tarda pas à connaître la kyrielle[2] de ses noirceurs : détournements d'arrérages[3], ventes de bois dissimulées, fausses quittances, etc. De plus, il avait un enfant naturel, et « des relations avec une personne de Dozulé[4] ».

Ces turpitudes[5] l'affligèrent beaucoup. Au mois de mars 1853, elle fut prise d'une douleur dans la poitrine ; sa langue

1. *Enregistrement :* administration chargée des domaines, du timbre et de l'authentification des actes privés. \ 2. *Kyrielle :* suite interminable. \ 3. *Arrérages :* sommes à payer dont l'échéance est dépassée. \ 4. *Dozulé :* à 19 km à l'ouest de Pont-l'Évêque. \ 5. *Turpitudes :* actes honteux.

paraissait couverte de fumée, les sangsues[1] ne calmèrent pas l'oppression ; et le neuvième soir elle expira, ayant juste soixante-douze ans.

1060 On la croyait moins vieille à cause de ses cheveux bruns, dont les bandeaux entouraient sa figure blême, marquée de petite vérole[2]. Peu d'amis la regrettèrent, ses façons étant d'une hauteur qui éloignait.

Félicité la pleura, comme on ne pleure pas les maîtres. Que 1065 Madame mourût avant elle, cela troublait ses idées, lui semblait contraire à l'ordre des choses, inadmissible et monstrueux.

Dix jours après (le temps d'accourir de Besançon), les héritiers survinrent. La bru fouilla les tiroirs, choisit des meubles, vendit les autres, puis ils regagnèrent l'enregistrement.

1070 Le fauteuil de Madame, son guéridon[3], sa chaufferette, les huit chaises, étaient partis ! La place des gravures se dessinait en carrés jaunes au milieu des cloisons. Ils avaient emporté les deux couchettes, avec leurs matelas, et dans le placard on ne voyait plus rien de toutes les affaires de Virginie ! Félicité 1075 remonta les étages, ivre de tristesse.

Le lendemain il y avait sur la porte une affiche ; l'apothicaire lui cria dans l'oreille que la maison était à vendre.

Elle chancela, et fut obligée de s'asseoir.

Ce qui la désolait principalement, c'était d'abandonner sa 1080 chambre, – si commode pour le pauvre Loulou. En l'enveloppant d'un regard d'angoisse, elle implorait le Saint-Esprit, et contracta l'habitude idolâtre[4] de dire ses oraisons[5] agenouillée devant le perroquet. Quelquefois, le soleil entrant par la lucarne frappait son œil de verre, et en faisait jaillir un grand 1085 rayon lumineux qui la mettait en extase.

1. *Sangsues :* en suçant le sang des malades, elles étaient censées les soulager. \ **2.** *Petite vérole :* forme de variole. \ **3.** *Guéridon :* petite table ronde à un seul pied central. \ **4.** *Idolâtre :* qui consiste à adorer les images. \ **5.** *Oraisons :* prières.

Elle avait une rente de trois cent quatre-vingts francs, léguée par sa maîtresse. Le jardin lui fournissait des légumes. Quant aux habits, elle possédait de quoi se vêtir jusqu'à la fin de ses jours, et épargnait l'éclairage en se couchant dès le crépuscule.

1090 Elle ne sortait guère, afin d'éviter la boutique du brocanteur, où s'étalaient quelques-uns des anciens meubles. Depuis son étourdissement, elle traînait une jambe; et, ses forces diminuant, la mère Simon, ruinée dans l'épicerie, venait tous les matins fendre son bois et pomper de l'eau.

1095 Ses yeux s'affaiblirent. Les persiennes n'ouvraient plus. Bien des années se passèrent. Et la maison ne se louait pas, et ne se vendait pas.

Dans la crainte qu'on ne la renvoyât, Félicité ne demandait aucune réparation. Les lattes du toit pourrissaient; pendant 1100 tout un hiver son traversin fut mouillé. Après Pâques, elle cracha du sang.

Alors la mère Simon eut recours à un docteur. Félicité voulut savoir ce qu'elle avait. Mais, trop sourde pour entendre, un seul mot lui parvint : « Pneumonie ». Il lui était connu, et elle 1105 répliqua doucement : – « Ah ! comme Madame », trouvant naturel de suivre sa maîtresse.

Le moment des reposoirs approchait.

Le premier était toujours au bas de la côte, le second devant la poste, le troisième vers le milieu de la rue. Il y eut des riva- 1110 lités à propos de celui-là; et les paroissiennes choisirent finalement la cour de Mme Aubain.

Les oppressions et la fièvre augmentaient. Félicité se chagrinait de ne rien faire pour le reposoir. Au moins, si elle avait pu y mettre quelque chose ! Alors elle songea au perroquet. Ce 1115 n'était pas convenable, objectèrent les voisines. Mais le curé accorda cette permission; elle en fut tellement heureuse qu'elle le pria d'accepter, quand elle serait morte, Loulou, sa seule richesse.

Du mardi au samedi, veille de la Fête-Dieu, elle toussa plus
1120 fréquemment. Le soir son visage était grippé[1], ses lèvres se collaient à ses gencives, des vomissements parurent; et le lendemain, au petit jour, se sentant très bas, elle fit appeler un prêtre.

Trois bonnes femmes l'entouraient pendant l'extrême-
1125 onction[2]. Puis elle déclara qu'elle avait besoin de parler à Fabu.

Il arriva en toilette des dimanches, mal à son aise dans cette atmosphère lugubre.

– « Pardonnez-moi », dit-elle avec un effort pour étendre le bras, « je croyais que c'était vous qui l'aviez tué ! »

1130 Que signifiaient des potins pareils ? L'avoir soupçonné d'un meurtre, un homme comme lui ! et il s'indignait, allait faire du tapage. – « Elle n'a plus sa tête, vous voyez bien ! »

Félicité de temps à autre parlait à des ombres. Les bonnes femmes s'éloignèrent. La Simonne déjeuna.

1135 Un peu plus tard, elle prit Loulou, et, l'approchant de Félicité :

– « Allons ! dites-lui adieu ! »

Bien qu'il ne fût pas un cadavre, les vers le dévoraient ; une de ses ailes était cassée, l'étoupe lui sortait du ventre.
1140 Mais, aveugle à présent, elle le baisa au front, et le gardait contre sa joue. La Simonne le reprit, pour le mettre sur le reposoir.

1. *Grippé* : crispé, contracté. \ 2. *Extrême-onction* : sacrement administré aux mourants.

V

Les herbages envoyaient l'odeur de l'été; des mouches bourdonnaient; le soleil faisait luire la rivière, chauffait les 1145 ardoises. La mère Simon, revenue dans la chambre, s'endormait doucement.

Des coups de cloche la réveillèrent; on sortait des vêpres. Le délire de Félicité tomba. En songeant à la procession, elle la voyait, comme si elle l'eût suivie.

1150 Tous les enfants des écoles, les chantres et les pompiers marchaient sur les trottoirs, tandis qu'au milieu de la rue, s'avançaient premièrement : le suisse[1] armé de sa hallebarde, le bedeau[2] avec une grande croix, l'instituteur surveillant les gamins, la religieuse inquiète de ses petites filles; trois des plus mignonnes, 1155 frisées comme des anges, jetaient dans l'air des pétales de roses; le diacre[3], les bras écartés, modérait la musique; et deux encenseurs se retournaient à chaque pas vers le Saint-Sacrement, que portait, sous un dais[4] de velours ponceau[5] tenu par quatre fabriciens[6], M. le curé, dans sa belle chasuble[7]. Un flot de monde se 1160 poussait derrière, entre les nappes blanches couvrant le mur des maisons; et l'on arriva au bas de la côte.

Une sueur froide mouillait les tempes de Félicité. La Simonne l'épongeait avec un linge, en se disant qu'un jour il lui faudrait passer par là.

1165 Le murmure de la foule grossit, fut un moment très fort, s'éloignait.

---

1. *Suisse :* laïc employé par l'église pour assurer le maintien de l'ordre. \ **2.** *Bedeau :* sacristain, laïc chargé du ménage de l'église. \ **3.** *Diacre :* clerc qui n'a pas encore été admis à la prêtrise. \ **4.** *Dais :* étoffe précieuse tendue sur des montants. \ **5.** *Ponceau :* rouge coquelicot. \ **6.** *Fabriciens :* membres de la « fabrique » chargés d'administrer les revenus de la paroisse. \ **7.** *Chasuble :* vêtement sacerdotal à deux pans, souvent brodé, que le prêtre revêt pour dire la messe.

Une fusillade ébranla les carreaux. C'était les postillons saluant l'ostensoir. Félicité roula ses prunelles, et elle dit, le moins bas qu'elle put :

– « Est-il bien ? » tourmentée du perroquet.

Son agonie commença. Un râle, de plus en plus précipité, lui soulevait les côtes. Des bouillons d'écume venaient aux coins de sa bouche, et tout son corps tremblait.

Bientôt, on distingua le ronflement des ophicléides [1], les voix claires des enfants, la voix profonde des hommes. Tout se taisait par intervalles, et le battement des pas, que des fleurs amortissaient, faisait le bruit d'un troupeau sur du gazon.

Le clergé parut dans la cour. La Simonne grimpa sur une chaise pour atteindre à l'œil-de-bœuf, et de cette manière dominait le reposoir.

Des guirlandes vertes pendaient sur l'autel, orné d'un falbala [2] en point d'Angleterre [3]. Il y avait au milieu un petit cadre enfermant des reliques [4], deux orangers dans les angles, et, tout le long, des flambeaux d'argent et des vases en porcelaine, d'où s'élançaient des tournesols, des lis, des pivoines, des digitales, des touffes d'hortensias. Ce monceau de couleurs éclatantes descendait obliquement, du premier étage jusqu'au tapis se prolongeant sur les pavés ; et des choses rares tiraient les yeux. Un sucrier de vermeil [5] avait une couronne de violettes, des pendeloques en pierres d'Alençon [6] brillaient sur de la mousse, deux écrans chinois montraient leurs paysages. Loulou, caché sous des roses, ne laissait voir que son front bleu, pareil à une plaque de lapis [7].

---

1. *Ophicléides :* instruments à vent en cuivre, en forme de serpents. \ **2.** *Falbala :* bande d'étoffe plissée ajoutée au bord d'une pièce de tissu. \ **3.** *Point d'Angleterre :* dentelle à l'aiguille. \ **4.** *Reliques :* parties du corps d'un saint ou objets lui ayant appartenu, conservés et vénérés par les fidèles. \ **5.** *Vermeil :* argent recouvert d'or. \ **6.** *Pierres d'Alençon :* quartz taillé. \ **7.** *Lapis :* lapis-lazuli, pierre précieuse bleue.

Les fabriciens, les chantres, les enfants se rangèrent sur les trois côtés de la cour. Le prêtre gravit lentement les marches, et posa sur la dentelle son grand soleil d'or[1] qui rayonnait. Tous s'agenouillèrent. Il se fit un grand silence. Et les encensoirs, allant à pleine volée, glissaient sur leurs chaînettes.

Une vapeur d'azur[2] monta dans la chambre de Félicité. Elle avança les narines, en la humant avec une sensualité mystique ; puis ferma les paupières. Ses lèvres souriaient. Les mouvements de son cœur se ralentirent un à un, plus vagues chaque fois, plus doux, comme une fontaine s'épuise, comme un écho disparaît ; et, quand elle exhala son dernier souffle, elle crut voir, dans les cieux entrouverts, un perroquet gigantesque, planant au-dessus de sa tête.

1. *Grand soleil d'or :* il s'agit de l'ostensoir au centre duquel est placée l'hostie sacrée.
2. *Vapeur d'azur :* il s'agit des fumées de l'encens.

LA LÉGENDE
DE SAINT JULIEN
L'HOSPITALIER

I

Le père et la mère de Julien habitaient un château, au milieu des bois, sur la pente d'une colline.

Les quatre tours aux angles avaient des toits pointus recouverts d'écailles de plomb, et la base des murs s'appuyait sur les
5 quartiers de rocs, qui dévalaient abruptement jusqu'au fond des douves[1].

Les pavés de la cour étaient nets comme le dallage d'une église. De longues gouttières, figurant des dragons la gueule en bas, crachaient l'eau des pluies vers la citerne; et sur le bord
10 des fenêtres, à tous les étages, dans un pot d'argile peinte, un basilic[2] ou un héliotrope[3] s'épanouissait.

Une seconde enceinte, faite de pieux, comprenait d'abord un verger d'arbres à fruits, ensuite un parterre où des combinaisons de fleurs dessinaient des chiffres[4], puis une treille[5] avec
15 des berceaux pour prendre le frais, et un jeu de mail[6] qui servait au divertissement des pages[7]. De l'autre côté se trouvaient le chenil[8], les écuries, la boulangerie, le pressoir et les granges. Un pâturage de gazon vert se développait tout autour, enclos lui-même d'une forte haie d'épines.

---

1. *Douves :* fossés remplis d'eau longeant les remparts d'un château. \ **2.** *Basilic :* plante aromatique; mot d'origine grecque, *basiliskos*, signifiant « petit roi ». \ **3.** *Héliotrope :* d'après l'étymologie, plante dont la fleur est tournée vers le soleil; la variété européenne s'appelle tournesol. \ **4.** *Chiffres :* initiales. \ **5.** *Treille :* vigne qui pousse sur un treillage, une tonnelle, un espalier. \ **6.** *Jeu de mail :* jeu pratiqué avec un maillet et une boule de buis, proche du croquet. \ **7.** *Pages :* jeunes hommes nobles placés auprès d'un roi, d'un seigneur ou d'une grande dame pour apprendre le métier des armes. \ **8.** *Chenil :* lieu où sont logés les chiens de meute.

20 On vivait en paix depuis si longtemps que la herse ne s'abaissait plus ; les fossés étaient pleins d'herbes[1] ; des hirondelles faisaient leur nid dans la fente des créneaux ; et l'archer qui tout le long du jour se promenait sur la courtine[2], dès que le soleil brillait trop fort rentrait dans l'échauguette[3], et s'en-
25 dormait comme un moine.

À l'intérieur, les ferrures partout reluisaient ; des tapisseries[4] dans les chambres protégeaient du froid ; et les armoires regorgeaient de linge, les tonnes[5] de vin s'empilaient dans les celliers[6], les coffres de chêne craquaient sous le poids des sacs
30 d'argent.

On voyait dans la salle d'armes, entre des étendards et des mufles de bêtes fauves[7], des armes de tous les temps et de toutes les nations, depuis les frondes des Amalécites[8] et les javelots des Garamantes[9] jusqu'aux braquemarts[10] des
35 Sarrasins[11] et aux cottes de mailles des Normands[12].

La maîtresse broche[13] de la cuisine pouvait faire tourner un bœuf ; la chapelle était somptueuse comme l'oratoire[14] d'un roi. Il y avait même, dans un endroit écarté, une étuve[15] à la romaine, mais le bon seigneur s'en privait, estimant que c'est
40 un usage des idolâtres[16].

\ **1.** *Pleins d'herbes :* conformément au manuscrit et non « pleins d'eau » comme on peut le lire dans certaines éditions depuis l'erreur commise par le copiste en 1877 ; le château n'a plus besoin de se défendre militairement par ce moyen et, plus loin (l. 172-173), Julien ira chercher le pigeon qu'il a tué au fond de ces fossés en « se déchirant aux broussailles ». \ **2.** *Courtine :* muraille entre deux tours ; elle peut être équipée d'un chemin de ronde. \ **3.** *Échauguette :* guérite en forme de tourelle placée en encorbellement aux angles des châteaux forts pour en assurer la surveillance. \ **4.** *Tapisseries :* ouvrages d'art tissés avec un métier et fixés verticalement sur les murs. \ **5.** *Tonnes :* gros tonneaux. \ **6.** *Celliers :* caves situées au rez-de-chaussée permettant de stocker les vivres et surtout les boissons. \ **7.** *Mufles de bêtes fauves :* trophées. \ **8.** *Amalécites :* nomades du Néguev, ennemis d'Israël, combattus par Saül et David (*Samuel*, I, 15-30). \ **9.** *Garamantes :* peuple du sud-est de la Libye. \ **10.** *Braquemarts :* épées courtes et courbes. \ **11.** *Sarrasins :* musulmans. \ **12.** *Normands :* Vikings. \ **13.** *La maîtresse broche :* la broche la plus grande. \ **14.** *Oratoire :* lieu destiné à la prière, petite chapelle. \ **15.** *Étuve :* pièce très chauffée qui correspond à une salle de bains. \ **16.** *Idolâtres :* païens, ceux qui adorent plusieurs dieux, qui ne sont pas chrétiens.

Toujours enveloppé d'une pelisse[1] de renard, il se promenait dans sa maison, rendait la justice à ses vassaux, apaisait les querelles de ses voisins. Pendant l'hiver, il regardait les flocons de neige tomber, ou se faisait lire des histoires. Dès les premiers
45 beaux jours, il s'en allait sur sa mule le long des petits chemins, au bord des blés qui verdoyaient, et causait avec les manants[2], auxquels il donnait des conseils. Après beaucoup d'aventures, il avait pris pour femme une demoiselle de haut lignage[3].

Elle était très blanche, un peu fière et sérieuse. Les cornes de
50 son hennin[4] frôlaient le linteau[5] des portes : la queue de sa robe de drap traînait de trois pas derrière elle. Son domestique[6] était réglé comme l'intérieur d'un monastère; chaque matin elle distribuait la besogne à ses servantes, surveillait les confitures et les onguents[7], filait à la quenouille[8] ou brodait des nappes
55 d'autel. À force de prier Dieu, il lui vint un fils.

Alors il y eut de grandes réjouissances, et un repas qui dura trois jours et quatre nuits, dans l'illumination des flambeaux, au son des harpes, sur des jonchées de feuillages. On y mangea les plus rares épices, avec des poules grosses comme des
60 moutons; par divertissement, un nain sortit d'un pâté et, les écuelles ne suffisant plus, car la foule augmentait toujours, on fut obligé de boire dans les oliphants[9] et dans les casques.

La nouvelle accouchée n'assista pas à ces fêtes. Elle se tenait dans son lit, tranquillement. Un soir, elle se réveilla, et elle
65 aperçut, sous un rayon de la lune qui entrait par la fenêtre, comme une ombre mouvante. C'était un vieillard en froc de

1. *Pelisse :* vêtement doublé de fourrure. \ **2.** *Manants :* habitants du village, non nobles. \ **3.** *De haut lignage :* issue d'une famille de rang élevé, dont la noblesse est ancienne. \ **4.** *Hennin :* coiffure féminine du Moyen Âge, en forme de bonnet conique, très haut et rigide. \ **5.** *Linteau :* poutre qui ferme une ouverture par le dessus et soutient la maçonnerie. \ **6** *Son domestique :* l'organisation de sa vie privée, son intérieur. \ **7.** *Onguents :* parfums, baumes. \ **8.** *Quenouille :* petite canne garnie à une extrémité de laine cardée que les femmes transformaient en fil au moyen d'un rouet ou d'un fuseau. \ **9.** *Oliphants :* petits cors en ivoire des chevaliers.

bure[1], avec un chapelet au côté, une besace[2] sur l'épaule, toute l'apparence d'un ermite. Il s'approcha de son chevet et lui dit, sans desserrer les lèvres

70 – « Réjouis-toi, ô mère ! ton fils sera un saint ! »

Elle allait crier ; mais, glissant sur le rais[3] de la lune, il s'éleva dans l'air doucement, puis disparut. Les chants du banquet éclatèrent plus fort. Elle entendit les voix des anges ; et sa tête retomba sur l'oreiller, que dominait un os de martyr[4] dans un 75 cadre d'escarboucles[5].

Le lendemain, tous les serviteurs interrogés déclarèrent qu'ils n'avaient pas vu d'ermite. Songe ou réalité, cela devait être une communication du ciel ; mais elle eut soin de n'en rien dire, ayant peur qu'on ne l'accusât d'orgueil.

80 Les convives s'en allèrent au petit jour ; et le père de Julien se trouvait en dehors de la poterne[6], où il venait de reconduire le dernier, quand tout à coup un mendiant se dressa devant lui, dans le brouillard. C'était un Bohême[7] à barbe tressée, avec des anneaux d'argent aux deux bras et les 85 prunelles flamboyantes. Il bégaya d'un air inspiré ces mots sans suite :

– « Ah ! ah ! ton fils !... beaucoup de sang !... beaucoup de gloire !... toujours heureux ! La famille d'un empereur. »

Et, se baissant pour ramasser son aumône, il se perdit dans 90 l'herbe, s'évanouit.

Le bon châtelain regarda de droite et de gauche, appela tant qu'il put. Personne ! Le vent sifflait, les brumes du matin s'envolaient.

1. *Froc de bure :* robe des moines faite dans une grossière étoffe de laine brute ; au départ, le froc ne couvrait que la tête, les épaules et la poitrine. \ 2. *Besace :* le mot vient du latin *bisaccium*, « double sac » ; à l'origine, la besace est un sac long ouvert par le milieu de façon à former deux poches. \ 3. *Rais :* rayon. \ 4. *Os de martyr :* relique précieuse car provenant d'un chrétien qui n'a pas renié sa foi sous la torture. \ 5. *Escarboucles :* pierres précieuses de couleur rouge foncé. \ 6. *Poterne :* petite porte secrète dans la muraille d'enceinte d'un château. \ 7. *Bohême :* bohémien, diseur de bonne aventure.

Il attribua cette vision à la fatigue de sa tête pour avoir trop
95 peu dormi. « Si j'en parle, on se moquera de moi », se dit-il.
Cependant les splendeurs destinées à son fils l'éblouissaient,
bien que la promesse n'en fût pas claire et qu'il doutât même
de l'avoir entendue.

Les époux se cachèrent leur secret. Mais tous deux chéris-
100 saient l'enfant d'un pareil amour; et, le respectant comme
marqué de Dieu [1], ils eurent pour sa personne des égards infinis.
Sa couchette était rembourrée du plus fin duvet; une lampe en
forme de colombe [2] brûlait dessus, continuellement; trois nourrices le berçaient; et, bien serré dans ses langes, la mine rose et
105 les yeux bleus, avec son manteau de brocart [3] et son béguin [4]
chargé de perles, il ressemblait à un petit Jésus. Les dents lui
poussèrent sans qu'il pleurât une seule fois.

Quand il eut sept ans, sa mère lui apprit à chanter. Pour le
rendre courageux, son père le hissa sur un gros cheval. L'enfant
110 souriait d'aise, et ne tarda pas à savoir tout ce qui concerne les
destriers [5].

Un vieux moine très savant lui enseigna l'Écriture sainte, la
numération des Arabes [6], les lettres latines, et à faire sur le
vélin [7] des peintures mignonnes. Ils travaillaient ensemble,
115 tout en haut d'une tourelle, à l'écart du bruit.

La leçon terminée, ils descendaient dans le jardin, où, se
promenant pas à pas, ils étudiaient les fleurs.

Quelquefois on apercevait, cheminant au fond de la vallée,
une file de bêtes de somme, conduites par un piéton, accoutré
120 à l'orientale. Le châtelain, qui l'avait reconnu pour un

---

1. *Marqué de Dieu :* prédestiné. \ **2.** *Colombe :* symbole traditionnel du Saint-Esprit. \ **3.** *Brocart :* tissu riche, brodé avec des fils de soie, d'or ou d'argent. \ **4.** *Béguin :* bonnet d'enfant qui s'attache sous le menton. \ **5.** *Destriers :* chevaux de bataille; étymologiquement, un destrier est un cheval que l'écuyer conduit de la main droite. \ **6.** *La numération des Arabes :* les chiffres arabes actuels commencent à remplacer les chiffres romains. \ **7.** *Vélin :* peau de veau préparée comme support de l'écriture.

marchand, expédiait vers lui un valet. L'étranger, prenant confiance, se détournait de sa route ; et, introduit dans le parloir, il retirait de ses coffres des pièces de velours et de soie, des orfèvreries, des aromates, des choses singulières d'un usage
125 inconnu ; à la fin le bonhomme s'en allait, avec un gros profit, sans avoir enduré aucune violence. D'autres fois, une troupe de pèlerins frappait à la porte. Leurs habits mouillés fumaient devant l'âtre ; et, quand ils étaient repus, ils racontaient leurs voyages : les erreurs [1] des nefs sur la mer écumeuse, les marches
130 à pied dans les sables brûlants, la férocité des païens, les cavernes de la Syrie, la Crèche [2] et le Sépulcre [3]. Puis ils donnaient au jeune seigneur des coquilles [4] de leur manteau.

Souvent le châtelain festoyait ses vieux compagnons d'armes. Tout en buvant, ils se rappelaient leurs guerres, les
135 assauts des forteresses avec le battement des machines et les prodigieuses blessures. Julien, qui les écoutait, en poussait des cris ; alors son père ne doutait pas qu'il ne fût plus tard un conquérant. Mais le soir, au sortir de l'angélus [5], quand il passait entre les pauvres inclinés, il puisait dans son escarcelle [6]
140 avec tant de modestie et d'un air si noble, que sa mère comptait bien le voir par la suite archevêque.

Sa place dans la chapelle était aux côtés de ses parents ; et, si longs que fussent les offices, il restait à genoux sur son prie-Dieu [7], la toque par terre et les mains jointes.

145 Un jour, pendant la messe, il aperçut, en relevant la tête, une petite souris blanche qui sortait d'un trou, dans la muraille. Elle trottina sur la première marche de l'autel, et, après deux

1. *Erreurs : erre errance* et *erreure* sont des noms qui contiennent l'idée de voyage, en ancien français. \ **2.** *La Crèche :* le lieu de naissance du Christ à Bethléem. \ **3.** *Le Sépulcre :* le Saint-Sépulcre à Jérusalem, le tombeau du Christ. \ **4.** *Coquilles :* coquilles Saint-Jacques ; ces pèlerins reviennent donc de Saint-Jacques de Compostelle. \ **5.** *Angélus :* prière à la Vierge Marie. \ **6.** *Escarcelle :* bourse suspendue à la ceinture. \ **7.** *Prie-Dieu :* chaise basse, dont le haut dossier sert d'accoudoir et sur laquelle on s'agenouille pour prier face à l'autel.

ou trois tours de droite et de gauche, s'enfuit du même côté. Le dimanche suivant, l'idée qu'il pourrait la revoir le troubla. 150 Elle revint ; et chaque dimanche il l'attendait, en était importuné, fut pris de haine contre elle, et résolut de s'en défaire.

Ayant donc fermé la porte, et semé sur les marches les miettes d'un gâteau, il se posta devant le trou, une baguette à la main.

155 Au bout de très longtemps un museau rose parut, puis la souris tout entière. Il frappa un coup léger, et demeura stupéfait devant ce petit corps qui ne bougeait plus. Une goutte de sang tachait la dalle. Il l'essuya bien vite avec sa manche, jeta la souris dehors, et n'en dit rien à personne.

160 Toutes sortes d'oisillons picoraient les graines du jardin. Il imagina de mettre des pois dans un roseau creux[1]. Quand il entendait gazouiller dans un arbre, il en approchait avec douceur, puis levait son tube, enflait ses joues ; et les bestioles lui pleuvaient sur les épaules si abondamment qu'il ne pouvait 165 s'empêcher de rire, heureux de sa malice.

Un matin, comme il s'en retournait par la courtine, il vit sur la crête du rempart un gros pigeon qui se rengorgeait au soleil. Julien s'arrêta pour le regarder ; le mur en cet endroit ayant une brèche, un éclat de pierre se rencontra sous ses doigts. Il tourna 170 son bras, et la pierre abattit l'oiseau qui tomba d'un bloc dans le fossé.

Il se précipita vers le fond, se déchirant aux broussailles, furetant partout, plus leste qu'un jeune chien.

Le pigeon, les ailes cassées, palpitait, suspendu dans les 175 branches d'un troène.

La persistance de sa vie irrita l'enfant. Il se mit à l'étrangler ; et les convulsions de l'oiseau faisaient battre son cœur,

1. *Roseau creux :* sarbacane.

l'emplissaient d'une volupté sauvage et tumultueuse. Au dernier roidissement[1], il se sentit défaillir.

180 Le soir, pendant le souper, son père déclara que l'on devait à son âge apprendre la vénerie[2] ; et il alla chercher un vieux cahier d'écriture contenant, par demandes et réponses, tout le déduit[3] des chasses. Un maître y démontrait à son élève l'art de dresser les chiens et d'affaiter[4] les faucons, de tendre les pièges, 185 comment reconnaître le cerf à ses fumées[5], le renard à ses empreintes, le loup à ses déchaussures[6], le bon moyen de discerner leurs voies[7], de quelle manière on les lance, où se trouvent ordinairement leurs refuges, quels sont les vents les plus propices, avec l'énumération des cris et les règles de la curée[8].

190 Quand Julien put réciter par cœur toutes ces choses, son père lui composa une meute.

D'abord on y distinguait vingt-quatre lévriers barbaresques[9], plus véloces que des gazelles, mais sujets à s'emporter ; puis dix-sept couples de chiens bretons, tiquetés[10] de 195 blanc sur fond rouge, inébranlables dans leur créance[11], forts de poitrine et grands hurleurs. Pour l'attaque du sanglier et les refuites[12] périlleuses, il y avait quarante griffons[13] poilus comme des ours. Des mâtins[14] de Tartarie[15], presque aussi hauts que des ânes, couleur de feu, l'échine large et le jarret

1. *Roidissement :* forme vieillie pour raidissement. \ **2.** *Vénerie :* art de la chasse à courre qui comprend cinq parties : la formation de la meute ; son dressage et son entretien ; la recherche des traces ; la manière de « lancer » (débusquer) ; la manière de « réduire » la bête. \ **3.** *Déduit :* le terme désigne l'ensemble des plaisirs et divertissements liés à l'amour et à la séduction ; il s'agit ici du train, de l'équipage et du caractère attrayant des règles de la chasse à courre. \ **4.** *Affaiter :* apprivoiser les faucons relève de la fauconnerie, c'est-à-dire du dressage et de l'utilisation des oiseaux de poing (autours, faucons pèlerins, gerfauts, éperviers). \ **5.** *Fumées :* excréments, fientes. \ **6.** *Déchaussures :* endroits où le loup a égratigné la terre après avoir fienté. \ **7.** *Voies :* passages de gibier. \ **8.** *Règles de la curée :* règles qui permettent de déterminer la portion de la bête laissée aux chiens de la meute. \ **9.** *Barbaresques :* originaires d'Afrique du Nord. \ **10.** *Tiquetés :* tachetés. \ **11.** *Leur créance :* la confiance qu'on peut placer en eux, leur crédit. \ **12.** *Refuites :* refuges, passages habituels et ruses de la bête pour échapper à ses poursuivants. \ **13.** *Griffons :* chiens à poil long. \ **14.** *Mâtins :* gros chiens de garde. \ **15.** *Tartarie :* région d'Asie centrale.

200 droit, étaient destinés à poursuivre les aurochs[1]. La robe noire des épagneuls luisait comme du satin; le jappement des talbots[2] valait celui des bigles[3] chanteurs. Dans une cour à part, grondaient, en secouant leur chaîne et roulant leurs prunelles, huit dogues alains[4], bêtes formidables qui sautent
205 au ventre des cavaliers et n'ont pas peur des lions.

Tous mangeaient du pain de froment, buvaient dans des auges de pierre, et portaient un nom sonore.

La fauconnerie, peut-être, dépassait la meute; le bon seigneur, à force d'argent, s'était procuré des tiercelets[5] du
210 Caucase, des sacres[6] de Babylone, des gerfauts[7] d'Allemagne, et des faucons pèlerins, capturés sur les falaises, au bord des mers froides, en de lointains pays. Ils logeaient dans un hangar couvert de chaume, et, attachés par rang de taille sur le perchoir, avaient devant eux une motte de gazon, où de temps
215 à autre on les posait afin de les dégourdir.

Des bourses[8], des hameçons[9], des chausse-trapes[10], toute sorte d'engins, furent confectionnés.

Souvent on menait dans la campagne des chiens d'oysel[11], qui tombaient bien vite en arrêt[12]. Alors des piqueurs[13],
220 s'avançant pas à pas, étendaient avec précaution sur leurs corps impassibles un immense filet. Un commandement les faisait aboyer; des cailles s'envolaient; et les dames des alentours conviées avec leurs maris, les enfants, les camérières[14], tout le monde se jetait dessus, et les prenait facilement.

---

1. *Aurochs :* bœufs sauvages de grande taille de Pologne et de Lituanie. \ **2.** *Talbots :* chiens anglais de grande taille. \ **3.** *Bigles : beagle*, mot anglais, chiens bassets à jambes droites. \ **4.** *Alains :* peuple nomade occupant le sud du Caucase, au bord de la mer Caspienne; les dogues alains étaient féroces. \ **5.** *Tiercelets :* éperviers mâles. \ **6.** *Sacres :* grands faucons d'Europe du Sud et d'Asie. \ **7.** *Gerfauts :* faucons de grande taille, très recherchés. \ **8.** *Bourses :* poches ou filets utilisés pour prendre des lapins à la sortie de leur terrier. \ **9.** *Hameçons :* pointes de fer. \ **10.** *Chausse-trapes :* pièges à pointes de fer pour prendre des loups et des renards. \ **11.** *Chiens d'oysel :* chiens dressés pour chasser l'oiseau. \ **12.** *En arrêt :* un chien de chasse se met en arrêt lorsqu'il sent une proie. \ **13.** *Piqueurs :* valets à cheval surveillant la meute pendant la chasse. \ **14.** *Camérières :* femmes de chambre au service d'une grande dame.

225 D'autres fois, pour débûcher[1] les lièvres, on battait du tambour; des renards tombaient dans des fosses, ou bien un ressort[2], se débandant, attrapait un loup par le pied.

Mais Julien méprisa ces commodes artifices; il préférait chasser loin du monde, avec son cheval et son faucon. C'était 230 presque toujours un grand tartaret[3] de Scythie[4], blanc comme la neige. Son capuchon de cuir[5] était surmonté d'un panache, des grelots d'or tremblaient à ses pieds bleus : et il se tenait ferme sur le bras de son maître pendant que le cheval galopait, et que les plaines se déroulaient. Julien, dénouant ses longes[6], 235 le lâchait tout à coup; la bête hardie montait droit dans l'air comme une flèche; et l'on voyait deux taches inégales tourner, se joindre, puis disparaître dans les hauteurs de l'azur. Le faucon ne tardait pas à descendre en déchirant quelque oiseau, et revenait se poser sur le gantelet[7], les deux ailes frémissantes.

240 Julien vola[8] de cette manière le héron, le milan, la corneille et le vautour.

Il aimait, en sonnant de la trompe, à suivre ses chiens qui couraient sur le versant des collines, sautaient les ruisseaux, remontaient vers le bois; et, quand le cerf commençait à gémir 245 sous les morsures, il l'abattait prestement, puis se délectait à la furie des mâtins qui le dévoraient, coupé en pièces sur sa peau fumante.

Les jours de brume, il s'enfonçait dans un marais pour guetter les oies, les loutres[9] et les halbrans[10].

250 Trois écuyers, dès l'aube, l'attendaient au bas du perron; et le vieux moine, se penchant à sa lucarne, avait beau faire des

1. *Débûcher :* débusquer. \ **2.** *Ressort :* piège métallique. \ **3.** *Tartaret :* faucon de Tartarie. \ **4.** *Scythie :* Russie du Sud. \ **5.** *Capuchon de cuir :* capuchon utilisé pour couvrir les yeux du rapace avant et après la chasse. \ **6.** *Longes :* lanières qui maintiennent le faucon sur le poing ganté du chasseur. \ **7.** *Gantelet :* gant de cuir et de métal. \ **8** *Vola :* chassa au vol avec un oiseau de proie dressé. \ **9.** *Loutres :* petits mammifères carnivores, adaptés à la vie aquatique et dont la fourrure épaisse est appréciée. \ **10.** *Halbrans :* jeunes canards sauvages de l'année.

signes pour le rappeler, Julien ne se retournait pas. Il allait à l'ardeur du soleil, sous la pluie, par la tempête, buvait l'eau des sources dans sa main, mangeait en trottant des pommes sauvages, s'il était fatigué se reposait sous un chêne ; et il rentrait au milieu de la nuit, couvert de sang et de boue, avec des épines dans les cheveux et sentant l'odeur des bêtes farouches. Il devint comme elles. Quand sa mère l'embrassait, il acceptait froidement son étreinte, paraissant rêver à des choses profondes.

Il tua des ours à coups de couteau, des taureaux avec la hache, des sangliers avec l'épieu[1] ; et même une fois, n'ayant plus qu'un bâton, se défendit contre des loups qui rongeaient des cadavres au pied d'un gibet[2].

Un matin d'hiver, il partit avant le jour, bien équipé, une arbalète sur l'épaule et un trousseau de flèches à l'arçon[3] de sa selle.

Son genet[4] danois, suivi de deux bassets, en marchant d'un pas égal faisait résonner la terre. Des gouttes de verglas se collaient à son manteau, une brise violente soufflait. Un côté de l'horizon s'éclaircit ; et, dans la blancheur du crépuscule, il aperçut des lapins sautillant au bord de leurs terriers. Les deux bassets, tout de suite, se précipitèrent sur eux ; et, çà et là, vivement, leur brisaient l'échine.

Bientôt, il entra dans un bois. Au bout d'une branche, un coq de bruyère engourdi par le froid dormait la tête sous l'aile. Julien, d'un revers d'épée, lui faucha les deux pattes, et sans le ramasser continua sa route.

Trois heures après, il se trouva sur la pointe d'une montagne tellement haute que le ciel semblait presque noir. Devant lui,

---

1. *Épieu :* gros et long bâton dont l'extrémité est durcie par le feu ou renforcée par une partie métallique pointue. \ **2.** *Gibet :* potence où étaient pendus ou exposés les condamnés. \ **3.** *Arçon :* armature, arcades de la selle. \ **4.** *Genet :* cheval de petite taille.

un rocher pareil à un long mur s'abaissait, en surplombant un précipice ; et, à l'extrémité, deux boucs sauvages regardaient l'abîme. Comme il n'avait pas ses flèches (car son cheval était resté en arrière), il imagina de descendre jusqu'à eux ; à demi 285 courbé, pieds nus, il arriva enfin au premier des boucs, et lui enfonça un poignard sous les côtes. Le second, pris de terreur, sauta dans le vide. Julien s'élança pour le frapper, et, glissant du pied droit, tomba sur le cadavre de l'autre, la face au-dessus de l'abîme et les deux bras écartés.

290 Redescendu dans la plaine, il suivit des saules qui bordaient une rivière. Des grues, volant très bas, de temps à autre passaient au-dessus de sa tête, Julien les assommait avec son fouet, et n'en manqua pas une.

Cependant l'air plus tiède avait fondu le givre, de larges 295 vapeurs flottaient, et le soleil se montra. Il fit reluire tout au loin un lac figé, qui ressemblait à du plomb. Au milieu du lac, il y avait une bête que Julien ne connaissait pas, un castor à museau noir. Malgré la distance, une flèche l'abattit ; et il fut chagrin de ne pouvoir emporter la peau.

300 Puis il s'avança dans une avenue de grands arbres, formant avec leurs cimes comme un arc de triomphe, à l'entrée d'une forêt. Un chevreuil bondit hors d'un fourré, un daim parut dans un carrefour, un blaireau sortit d'un trou, un paon sur le gazon déploya sa queue ; – et quand il les eut tous occis [1], 305 d'autres chevreuils se présentèrent, d'autres daims, d'autres blaireaux, d'autres paons, et des merles, des geais, des putois, des renards, des hérissons, des lynx, une infinité de bêtes, à chaque pas plus nombreuses. Elles tournaient autour de lui, tremblantes, avec un regard plein de douceur et de suppli- 310 cation. Mais Julien ne se fatiguait pas de tuer, tour à tour bandant son arbalète, dégainant l'épée, pointant du coutelas,

1. *Occis :* (du verbe occire), tués.

et ne pensait à rien, n'avait souvenir de quoi que ce fût. Il était en chasse dans un pays quelconque, depuis un temps indéterminé, par le fait seul de sa propre existence, tout
315 s'accomplissant avec la facilité que l'on éprouve dans les rêves.

Un spectacle extraordinaire l'arrêta. Des cerfs emplissaient un vallon ayant la forme d'un cirque ; et tassés, les uns près des autres, ils se réchauffaient avec leurs haleines que l'on voyait
320 fumer dans le brouillard.

L'espoir d'un pareil carnage, pendant quelques minutes, le suffoqua de plaisir. Puis il descendit de cheval, retroussa ses manches, et se mit à tirer.

Au sifflement de la première flèche, tous les cerfs à la fois
325 tournèrent la tête. Il se fit des enfonçures[1] dans leur masse ; des voix plaintives s'élevaient, et un grand mouvement agita le troupeau.

Le rebord du vallon était trop haut pour le franchir. Ils bondissaient dans l'enceinte, cherchant à s'échapper. Julien
330 visait, tirait ; et les flèches tombaient comme les rayons d'une pluie d'orage. Les cerfs rendus furieux se battirent, se cabraient, montaient les uns par-dessus les autres ; et leurs corps avec leurs ramures emmêlées faisaient un large monticule, qui s'écroulait, en se déplaçant.

335 Enfin ils moururent, couchés sur le sable, la bave aux naseaux, les entrailles sorties, et l'ondulation de leurs ventres s'abaissant par degrés. Puis tout fut immobile.

La nuit allait venir ; et derrière le bois, dans les intervalles des branches, le ciel était rouge comme une nappe de sang.
340 Julien s'adossa contre un arbre. Il contemplait d'un œil béant l'énormité du massacre, ne comprenant pas comment il avait pu le faire.

1. *Enfonçures* : espaces vides, creux.

De l'autre côté du vallon, sur le bord de la forêt, il aperçut un cerf, une biche et son faon.

345 Le cerf, qui était noir et monstrueux de taille, portait seize andouillers[1] avec une barbe blanche. La biche, blonde comme les feuilles mortes, broutait le gazon ; et le faon tacheté, sans l'interrompre dans sa marche, lui tétait la mamelle.

L'arbalète encore une fois ronfla. Le faon, tout de suite, fut 350 tué. Alors sa mère, en regardant le ciel, brama[2] d'une voix profonde, déchirante, humaine. Julien exaspéré, d'un coup en plein poitrail, l'étendit par terre.

Le grand cerf l'avait vu, fit un bond. Julien lui envoya sa dernière flèche. Elle l'atteignit au front, et y resta plantée.

355 Le grand cerf n'eut pas l'air de la sentir ; en enjambant par-dessus les morts, il avançait toujours, allait fondre sur lui, l'éventrer ; et Julien reculait dans une épouvante indicible[3]. Le prodigieux animal s'arrêta ; et les yeux flamboyants, solennel comme un patriarche et comme un justicier, pendant qu'une 360 cloche au loin tintait, il répéta trois fois :

– « Maudit ! maudit ! maudit ! Un jour, cœur féroce, tu assassineras ton père et ta mère ! »

Il plia les genoux, ferma doucement ses paupières, et mourut.

365 Julien fut stupéfait, puis accablé d'une fatigue soudaine ; et un dégoût, une tristesse immense l'envahit. Le front dans les deux mains, il pleura pendant longtemps.

Son cheval était perdu ; ses chiens l'avaient abandonné ; la solitude qui l'enveloppait lui sembla toute menaçante des 370 périls indéfinis. Alors, poussé par un effroi, il prit sa course à travers la campagne, choisit au hasard un sentier, et se trouva presque immédiatement à la porte du château.

---

1. *Andouillers :* ramifications des bois du cerf permettant de calculer son âge. \ **2.** *Brama :* le cri du cerf est le brame. \ **3.** *Indicible :* du latin *dicere*, qu'on ne peut dire, exprimer.

La nuit, il ne dormit pas. Sous le vacillement de la lampe suspendue, il revoyait toujours le grand cerf noir. Sa prédiction
375 l'obsédait ; il se débattait contre elle. « Non ! non ! non ! je ne veux pas les tuer ! » puis, il songeait : « Si je le voulais, pourtant ?... » et il avait peur que le Diable ne lui en inspirât l'envie.

Durant trois mois, sa mère en angoisse pria au chevet de son
380 lit, et son père, en gémissant, marchait continuellement dans les couloirs. Il manda[1] les maîtres mires[2] les plus fameux, lesquels ordonnèrent des quantités de drogues[3]. Le mal de Julien, disaient-ils, avait pour cause un vent funeste, ou un désir d'amour. Mais le jeune homme à toutes les questions,
385 secouait la tête.

Les forces lui revinrent ; et on le promenait dans la cour, le vieux moine et le bon seigneur le soutenant chacun par un bras.

Quand il fut rétabli complètement, il s'obstina à ne point chasser.

390 Son père, le voulant réjouir, lui fit cadeau d'une grande épée sarrasine.

Elle était au haut d'un pilier, dans une panoplie. Pour l'atteindre, il fallut une échelle. Julien y monta. L'épée trop lourde lui échappa des doigts, et en tombant frôla le bon seigneur de
395 si près que sa houppelande[4] en fut coupée ; Julien crut avoir tué son père, et s'évanouit.

Dès lors, il redouta les armes. L'aspect d'un fer nu le faisait pâlir. Cette faiblesse était une désolation pour sa famille.

Enfin le vieux moine, au nom de Dieu, de l'honneur et des
400 ancêtres, lui commanda de reprendre ses exercices de gentilhomme.

Les écuyers, tous les jours, s'amusaient au maniement de la

---

1. *Manda :* fit venir. \ **2.** *Mires :* médecins. \ **3.** *Drogues :* médicaments. \ **4.** *Houppelande :* vaste manteau souvent fourré, à larges manches, ouvert devant.

javeline[1]. Julien y excella bien vite. Il envoyait la sienne dans le goulot des bouteilles, cassait les dents des girouettes, frap-
405 pait à cent pas les clous des portes.

Un soir d'été, à l'heure où la brume rend les choses indistinctes, étant sous la treille du jardin, il aperçut tout au fond deux ailes blanches qui voletaient à la hauteur de l'espalier[2]. Il ne douta pas que ce ne fût une cigogne; et il lança son
410 javelot.

Un cri déchirant partit.

C'était sa mère, dont le bonnet à longues barbes restait cloué contre le mur.

Julien s'enfuit du château, et ne reparut plus.

II

415 Il s'engagea dans une troupe d'aventuriers qui passaient.

Il connut la faim, la soif, les fièvres et la vermine[3]. Il s'accoutuma au fracas des mêlées, à l'aspect des moribonds. Le vent tanna sa peau. Ses membres se durcirent par le contact des armures; et comme il était très fort, courageux, tempérant[4],
420 avisé, il obtint sans peine le commandement d'une compagnie.

Au début des batailles, il enlevait ses soldats d'un grand geste de son épée. Avec une corde à nœuds, il grimpait aux murs des citadelles, la nuit, balancé par l'ouragan, pendant que les flammèches du feu grégeois[5] se collaient à sa cuirasse, et que

---

1. *Javeline :* javelot léger. \ 2. *Espalier :* mur le long duquel sont plantés des arbres fruitiers. \ 3. *Vermine :* parasites corporels (puces, poux, tiques). \ 4. *Tempérant :* sobre (il ne boit pas d'alcool). \ 5. *Feu grégeois :* matière très inflammable composée de bitume et de salpêtre.

425 la résine bouillante et le plomb fondu ruisselaient des créneaux. Souvent le heurt d'une pierre fracassa son bouclier. Des ponts trop chargés d'hommes croulèrent sous lui. En tournant sa masse d'armes, il se débarrassa de quatorze cavaliers. Il défit, en champ clos, tous ceux qui se proposèrent. Plus de vingt fois, 430 on le crut mort.

Grâce à la faveur divine, il en réchappa toujours ; car il protégeait les gens d'église, les orphelins, les veuves, et principalement les vieillards. Quand il en voyait un marchant devant lui, il criait pour connaître sa figure, comme s'il avait eu peur de 435 le tuer par méprise.

Des esclaves en fuite, des manants révoltés, des bâtards [1] sans fortune, toutes sortes d'intrépides affluèrent sous son drapeau, et il se composa une armée.

Elle grossit. Il devint fameux. On le recherchait.

440 Tour à tour, il secourut le Dauphin [2] de France et le roi d'Angleterre, les templiers de Jérusalem, le suréna [3] des Parthes, le négus d'Abyssinie [4], et l'empereur de Calicut [5]. Il combattit des Scandinaves recouverts d'écailles de poisson, des Nègres munis de rondaches [6] en cuir d'hippopotame et montés sur des ânes 445 rouges, des Indiens couleur d'or et brandissant par-dessus leurs diadèmes de larges sabres, plus clairs que des miroirs. Il vainquit les Troglodytes [7] et les Anthropophages. Il traversa des régions si torrides que sous l'ardeur du soleil les chevelures s'allumaient d'elles-mêmes, comme des flambeaux ; et d'autres qui 450 étaient si glaciales, que les bras, se détachant du corps, tombaient par terre ; et des pays où il y avait tant de brouillard que l'on marchait environné de fantômes.

1. *Bâtards :* enfants nés hors mariage, enfants naturels. \ **2.** *Dauphin :* prince héritier. \ **3.** *Suréna :* titre de hauts dignitaires des Parthes (tribu scythe). \ **4.** *Le négus d'Abyssinie :* l'empereur d'Éthiopie. \ **5.** *Calicut :* ville au sud de l'Inde. \ **6.** *Rondaches :* boucliers. \ **7.** *Troglodytes :* peuple qui vivait près de la mer Rouge au sud-est de l'Égypte.

Des républiques en embarras le consultèrent. Aux entrevues d'ambassadeurs, il obtenait des conditions inespérées. Si un monarque se conduisait trop mal, il arrivait tout à coup, et lui faisait des remontrances. Il affranchit des peuples. Il délivra des reines enfermées dans des tours. C'est lui, et pas un autre, qui assomma la guivre de Milan[1] et le dragon d'Oberbirbach[2].

Or l'empereur d'Occitanie[3], ayant triomphé des Musulmans espagnols, s'était joint par concubinage à la sœur du calife[4] de Cordoue[5]; et il en conservait une fille, qu'il avait élevée chrétiennement. Mais le calife, faisant mine de vouloir se convertir, vint lui rendre visite, accompagné d'une escorte nombreuse, massacra toute sa garnison, et le plongea dans un cul-de-basse-fosse[6] où il le traitait durement, afin d'en extirper des trésors.

Julien accourut à son aide, détruisit l'armée des infidèles[7], assiégea la ville, tua le calife, coupa sa tête, et la jeta comme une boule par-dessus les remparts. Puis il tira l'empereur de sa prison, et le fit remonter sur son trône, en présence de toute sa cour.

L'empereur, pour prix d'un tel service, lui présenta dans des corbeilles beaucoup d'argent ; Julien n'en voulut pas. Croyant qu'il en désirait davantage, il lui offrit les trois quarts de ses richesses ; nouveau refus ; puis de partager son royaume ; Julien le remercia ; et l'empereur en pleurait de dépit, ne sachant de quelle manière témoigner sa reconnaissance, quand il se frappa le front, dit un mot à l'oreille d'un courtisan ; les rideaux d'une tapisserie se relevèrent, et une jeune fille parut.

Ses grands yeux noirs brillaient comme deux lampes très

1. *Guivre de Milan :* serpent fantastique des légendes médiévales. \ **2.** *Dragon d'Oberbirbach :* il a inspiré plusieurs légendes germaniques. \ **3.** *Occitanie :* Languedoc et régions avoisinantes. \ **4.** *Calife :* souverain musulman, successeur et lieutenant de Mahomet. \ **5.** *Cordoue :* ville d'Andalousie ; à partir de la conquête de cette ville par les musulmans en 711, l'émirat de Cordoue devint peu à peu un centre culturel et artistique incomparable. Au Xe siècle, l'émirat devint un califat. \ **6.** *Cul-de-basse-fosse :* cachot souterrain obscur et profond. \ **7.** *Infidèles :* musulmans.

480 douces. Un sourire charmant écartait ses lèvres. Les anneaux de sa chevelure s'accrochaient aux pierreries de sa robe entrouverte ; et, sous la transparence de sa tunique, on devinait la jeunesse de son corps. Elle était toute mignonne et potelée, avec la taille fine.

485 Julien fut ébloui d'amour, d'autant plus qu'il avait mené jusqu'alors une vie très chaste.

Donc il reçut en mariage la fille de l'empereur, avec un château qu'elle tenait de sa mère ; et, les noces étant terminées, on se quitta, après des politesses infinies de part et d'autre.

490 C'était un palais de marbre blanc, bâti à la moresque[1], sur un promontoire, dans un bois d'orangers. Des terrasses de fleurs descendaient jusqu'au bord d'un golfe, où des coquilles roses craquaient sous les pas. Derrière le château, s'étendait une forêt ayant le dessin d'un éventail. Le ciel continuellement 495 était bleu, et les arbres se penchaient tour à tour sous la brise de la mer et le vent des montagnes, qui fermaient au loin l'horizon.

Les chambres, pleines de crépuscule, se trouvaient éclairées par les incrustations des murailles. De hautes colonnettes, 500 minces comme des roseaux, supportaient la voûte des coupoles, décorées de reliefs imitant les stalactites des grottes.

Il y avait des jets d'eau dans les salles, des mosaïques dans les cours, des cloisons festonnées[2], mille délicatesses d'architecture, et partout un tel silence que l'on entendait le frôlement 505 d'une écharpe ou l'écho d'un soupir.

Julien ne faisait plus la guerre. Il se reposait, entouré d'un peuple tranquille ; et chaque jour, une foule passait devant lui, avec des génuflexions[3] et des baisemains à l'orientale.

1. *Moresque :* dans le style de l'architecture arabe. \ **2.** *Festonnées :* les cloisons sont décorées par des feuilles et des fleurs brodées ou sculptées finement. \ **3.** *Génuflexions :* actions de se mettre à genoux en signe de soumission ou de respect.

Vêtu de pourpre[1], il restait accoudé dans l'embrasure d'une
510 fenêtre, en se rappelant ses chasses d'autrefois ; et il aurait voulu courir sur le désert après les gazelles et les autruches, être caché dans les bambous à l'affût des léopards, traverser des forêts pleines de rhinocéros, atteindre au sommet des monts les plus inaccessibles pour viser mieux les aigles, et sur les glaçons de
515 la mer combattre les ours blancs.

Quelquefois, dans un rêve, il se voyait comme notre père Adam au milieu du Paradis, entre toutes les bêtes ; en allongeant le bras, il les faisait mourir ; ou bien, elles défilaient, deux à deux, par rang de taille, depuis les éléphants et les lions
520 jusqu'aux hermines et aux canards, comme le jour qu'elles entrèrent dans l'arche de Noé[2]. À l'ombre d'une caverne, il dardait[3] sur elles des javelots infaillibles ; il en survenait d'autres ; cela n'en finissait pas ; et il se réveillait en roulant des yeux farouches[4].

525 Des princes de ses amis l'invitèrent à chasser. Il s'y refusa toujours, croyant, par cette sorte de pénitence, détourner son malheur ; car il lui semblait que du meurtre des animaux dépendait le sort de ses parents. Mais il souffrait de ne pas les voir, et son autre envie devenait insupportable.

530 Sa femme, pour le récréer, fit venir des jongleurs et des danseuses.

Elle se promenait avec lui, en litière ouverte, dans la campagne ; d'autres fois, étendus sur le bord d'une chaloupe, ils regardaient les poissons vagabonder dans l'eau, claire comme le
535 ciel. Souvent elle lui jetait des fleurs au visage ; accroupie devant ses pieds, elle tirait des airs d'une mandoline à trois cordes ; puis, lui posant sur l'épaule ses deux mains jointes, disait d'une voix timide : – « Qu'avez-vous donc, cher seigneur ? »

---

1. *Pourpre :* couleur impériale. \ **2.** *L'arche de Noé :* référence à Genèse VI, 7 à IX, 29. \ **3.** *Dardait :* lançait des dards. \ **4.** *Farouches :* sauvages.

Il ne répondait pas, ou éclatait en sanglots ; enfin, un jour,
540 il avoua son horrible pensée.

Elle la combattit, en raisonnant très bien : son père et sa mère, probablement, étaient morts ; si jamais il les revoyait, par quel hasard, dans quel but, arriverait-il à cette abomination[1] ? Donc, sa crainte n'avait pas de cause, et il devait se remettre à chasser.

545 Julien souriait en l'écoutant, mais ne se décidait pas à satisfaire son désir.

Un soir du mois d'août qu'ils étaient dans leur chambre, elle venait de se coucher et il s'agenouillait pour sa prière quand il entendit le jappement d'un renard, puis des pas légers sous la
550 fenêtre ; et il entrevit dans l'ombre comme des apparences d'animaux. La tentation était trop forte. Il décrocha son carquois.

Elle parut surprise.

– « C'est pour t'obéir ! » dit-il, « au lever du soleil, je serai revenu. »

555 Cependant elle redoutait une aventure funeste[2].

Il la rassura, puis sortit, étonné de l'inconséquence de son humeur.

Peu de temps après, un page vint annoncer que deux inconnus, à défaut du seigneur absent, réclamaient tout de
560 suite la seigneuresse.

Et bientôt entrèrent dans la chambre un vieil homme et une vieille femme, courbés, poudreux[3], en habits de toile, et s'appuyant chacun sur un bâton.

Ils s'enhardirent et déclarèrent qu'ils apportaient à Julien
565 des nouvelles de ses parents.

Elle se pencha pour les entendre.

Mais, s'étant concertés du regard, ils lui demandèrent s'il les aimait toujours, s'il parlait d'eux quelquefois.

---

1. *Cette abomination :* cette épouvantable prédiction (du latin *abominare* : repousser avec effroi ce qui vient d'un mauvais présage). \ **2.** *Funeste :* qui cause la mort. \ **3.** *Poudreux :* poussiéreux.

– « Oh ! oui ! » dit-elle.

570 Alors, ils s'écrièrent :

– « Eh bien ! c'est nous ! » et ils s'assirent, étant fort las et recrus de fatigue.

Rien n'assurait à la jeune femme que son époux fût leur fils.

575 Ils en donnèrent la preuve, en décrivant des signes particuliers qu'il avait sur la peau.

Elle sauta hors de sa couche, appela son page, et on leur servit un repas.

Bien qu'ils eussent grand-faim, ils ne pouvaient guère 580 manger ; et elle observait à l'écart le tremblement de leurs mains osseuses, en prenant les gobelets.

Ils firent mille questions sur Julien. Elle répondait à chacune, mais eut soin de taire l'idée funèbre qui les concernait.

Ne le voyant pas revenir, ils étaient partis de leur château ; 585 et ils marchaient depuis plusieurs années, sur de vagues indications, sans perdre l'espoir. Il avait fallu tant d'argent au péage des fleuves et dans les hôtelleries, pour les droits[1] des princes et les exigences des voleurs, que le fond de leur bourse était vide, et qu'ils mendiaient maintenant. Qu'importe, puisque 590 bientôt ils embrasseraient leur fils ? Ils exaltaient son bonheur d'avoir une femme aussi gentille[2], et ne se lassaient point de la contempler et de la baiser.

La richesse de l'appartement les étonnait beaucoup ; et le vieux, ayant examiné les murs, demanda pourquoi s'y trouvait 595 le blason[3] de l'empereur d'Occitanie.

Elle répliqua :

– « C'est mon père ! »

Alors il tressaillit, se rappelant la prédiction du Bohême ; et

1. *Droits :* droits de passage. \ 2. *Gentille :* d'origine noble, pourvue des qualités attachées aux personnes nobles. \ 3. *Le blason :* les symboles héraldiques que porte ce blason permettent d'identifier le seigneur.

la vieille songeait à la parole de l'Ermite. Sans doute la gloire
600 de son fils n'était que l'aurore des splendeurs éternelles ; et tous les deux restaient béants[1], sous la lumière du candélabre qui éclairait la table.

Ils avaient dû être très beaux dans leur jeunesse. La mère avait encore tous ses cheveux, dont les bandeaux fins, pareils à
605 des plaques de neige, pendaient jusqu'au bas de ses joues ; et le père, avec sa taille haute et sa grande barbe, ressemblait à une statue d'église.

La femme de Julien les engagea à ne pas l'attendre. Elle les coucha elle-même dans son lit, puis ferma la croisée[2] ; ils s'en-
610 dormirent. Le jour allait paraître, et, derrière le vitrail, les petits oiseaux commençaient à chanter.

Julien avait traversé le parc ; et il marchait dans la forêt d'un pas nerveux, jouissant de la mollesse du gazon et de la douceur de l'air.

615 Les ombres des arbres s'étendaient sur la mousse. Quelquefois la lune faisait des taches blanches dans les clairières, et il hésitait à s'avancer, croyant apercevoir une flaque d'eau, ou bien la surface des mares tranquilles se confondait avec la couleur de l'herbe. C'était partout un grand silence ; et il ne découvrit
620 aucune des bêtes qui, peu de minutes auparavant, erraient à l'entour de son château.

Le bois s'épaissit, l'obscurité devint profonde. Des bouffées de vent chaud passaient, pleines de senteurs amollissantes. Il enfonçait dans des tas de feuilles mortes, et il s'appuya contre
625 un chêne pour haleter un peu.

Tout à coup, derrière son dos, bondit une masse plus noire, un sanglier. Julien n'eut pas le temps de saisir son arc, et il s'en affligea comme d'un malheur.

1. *Béants :* bouche bée. \ 2. *Croisée :* fenêtre.

Puis, étant sorti du bois, il aperçut un loup qui filait le long
630 d'une haie.

Julien lui envoya une flèche. Le loup s'arrêta, tourna la tête pour le voir et reprit sa course. Il trottait en gardant toujours la même distance, s'arrêtait de temps à autre, et, sitôt qu'il était visé, recommençait à fuir.

635 Julien parcourut de cette manière une plaine interminable, puis des monticules de sable, et enfin il se trouva sur un plateau dominant un grand espace de pays. Des pierres plates étaient clairsemées entre des caveaux en ruines. On trébuchait sur des ossements de morts ; de place en place, des croix vermoulues
640 se penchaient d'un air lamentable. Mais des formes remuèrent dans l'ombre indécise des tombeaux ; et il en surgit des hyènes, tout effarées, pantelantes. En faisant claquer leurs ongles sur les dalles elles vinrent à lui et le flairaient avec un bâillement qui découvrait leurs gencives. Il dégaina son sabre. Elles partirent
645 à la fois dans toutes les directions, et, continuant leur galop boiteux et précipité, se perdirent au loin sous un îlot de poussière.

Une heure après, il rencontra dans un ravin un taureau furieux, les cornes en avant, et qui grattait le sable avec son
650 pied. Julien lui pointa sa lance sous les fanons[1]. Elle éclata, comme si l'animal eût été de bronze ; il ferma les yeux, attendant sa mort. Quand il les rouvrit, le taureau avait disparu.

Alors son âme s'affaissa de honte. Un pouvoir supérieur détruisait sa force ; et, pour s'en retourner chez lui, il rentra
655 dans la forêt.

Elle était embarrassée de lianes ; et il les coupait avec son sabre quand une fouine glissa brusquement entre ses jambes, une panthère fit un bond par-dessus son épaule, un serpent monta en spirale autour d'un frêne.

---

1. *Fanons :* replis cutanés sous le cou du taureau.

Il y avait dans son feuillage un choucas[1] monstrueux, qui regardait Julien ; et çà et là, parurent entre les branches quantité de larges étincelles, comme si le firmament eût fait pleuvoir dans la forêt toutes ses étoiles. C'étaient des yeux d'animaux, des chats sauvages, des écureuils, des hiboux, des perroquets, des singes.

Julien darda contre eux ses flèches ; les flèches, avec leurs plumes, se posaient sur les feuilles comme des papillons blancs. Il leur jeta des pierres ; les pierres, sans rien toucher, retombaient. Il se maudit, aurait voulu se battre, hurla des imprécations, étouffait de rage.

Et tous les animaux qu'il avait poursuivis se représentèrent, faisant autour de lui un cercle étroit. Les uns étaient assis sur leur croupe, les autres dressés de toute leur taille. Il restait au milieu, glacé de terreur, incapable du moindre mouvement. Par un effort suprême de sa volonté, il fit un pas ; ceux qui perchaient sur les arbres ouvrirent leurs ailes, ceux qui foulaient le sol déplacèrent leurs membres ; et tous l'accompagnaient.

Les hyènes marchaient devant lui, le loup et le sanglier par-derrière. Le taureau, à sa droite, balançait la tête ; et, à sa gauche, le serpent ondulait dans les herbes, tandis que la panthère, bombant son dos, avançait à pas de velours et à grandes enjambées. Il allait le plus lentement possible pour ne pas les irriter ; et il voyait sortir de la profondeur des buissons des porcs-épics, des renards, des vipères, des chacals et des ours.

Julien se mit à courir ; ils coururent. Le serpent sifflait, les bêtes puantes bavaient. Le sanglier lui frottait les talons avec ses défenses, le loup l'intérieur des mains avec les poils de son museau. Les singes le pinçaient en grimaçant, la fouine se roulait sur ses pieds. Un ours, d'un revers de patte, lui enleva

1. *Choucas :* oiseau de la famille des corneilles et corbeaux.

son chapeau ; et la panthère, dédaigneusement, laissa tomber une flèche qu'elle portait à sa gueule.

Une ironie perçait dans leurs allures sournoises. Tout en l'observant du coin de leurs prunelles, ils semblaient méditer 695 un plan de vengeance ; et, assourdi par le bourdonnement des insectes, battu par des queues d'oiseau, suffoqué par des haleines, il marchait les bras tendus et les paupières closes comme un aveugle, sans même avoir la force de crier « grâce ! ».

Le chant d'un coq vibra dans l'air. D'autres y répondirent ; 700 c'était le jour ; et il reconnut, au-delà des orangers, le faîte de son palais.

Puis, au bord d'un champ, il vit, à trois pas d'intervalle, des perdrix rouges qui voletaient dans les chaumes. Il dégrafa son manteau, et l'abattit sur elles comme un filet. Quand il les eut 705 découvertes, il n'en trouva qu'une seule, et morte depuis longtemps, pourrie.

Cette déception l'exaspéra plus que toutes les autres. Sa soif de carnage le reprenait ; les bêtes manquant, il aurait voulu massacrer des hommes.

710 Il gravit les trois terrasses, enfonça la porte d'un coup de poing ; mais, au bas de l'escalier, le souvenir de sa chère femme détendit son cœur. Elle dormait sans doute, et il allait la surprendre.

Ayant retiré ses sandales, il tourna doucement la serrure, et 715 entra.

Les vitraux garnis de plomb[1] obscurcissaient la pâleur de l'aube. Julien se prit les pieds dans des vêtements, par terre ; un peu plus loin, il heurta une crédence[2] encore chargée de vaisselle. « Sans doute, elle aura mangé » se dit-il ; et il avan-

1. *Vitraux garnis de plomb :* les morceaux de verre qui composent le vitrail sont assemblés au moyen de baguettes de plomb ; c'est un vitrail de la cathédrale de Rouen qui raconte la légende de Julien, comme l'indique la dernière phrase du conte. \ **2.** *Crédence :* buffet à tablettes superposées pour poser les plats et parfois ranger verticalement les assiettes.

çait vers le lit, perdu dans les ténèbres au fond de la chambre. Quand il fut au bord, afin d'embrasser sa femme, il se pencha sur l'oreiller où les deux têtes reposaient l'une près de l'autre. Alors, il sentit contre sa bouche l'impression d'une barbe.

Il se recula, croyant devenir fou ; mais il revint près du lit, et ses doigts, en palpant, rencontrèrent des cheveux qui étaient très longs. Pour se convaincre de son erreur, il repassa lentement la main sur l'oreiller. C'était bien une barbe, cette fois, et un homme ! un homme couché avec sa femme !

Éclatant d'une colère démesurée, il bondit sur eux à coups de poignard ; et il trépignait, écumait, avec des hurlements de bête fauve. Puis il s'arrêta. Les morts, percés au cœur ; n'avaient même pas bougé. Il écoutait attentivement leurs deux râles presque égaux, et, à mesure qu'ils s'affaiblissaient, un autre, tout au loin, les continuait. Incertaine d'abord, cette voix plaintive longuement poussée, se rapprochait, s'enfla, devint cruelle ; et il reconnut, terrifié, le bramement du grand cerf noir.

Et comme il se retournait, il crut voir dans l'encadrure de la porte, le fantôme de sa femme, une lumière à la main.

Le tapage du meurtre l'avait attirée. D'un large coup d'œil, elle comprit tout, et s'enfuyant d'horreur laissa tomber son flambeau.

Il le ramassa.

Son père et sa mère étaient devant lui, étendus sur le dos avec un trou dans la poitrine ; et leurs visages, d'une majestueuse douceur, avaient l'air de garder comme un secret éternel. Des éclaboussures et des flaques de sang s'étalaient au milieu de leur peau blanche, sur les draps du lit, par terre, le long d'un Christ d'ivoire suspendu dans l'alcôve[1]. Le reflet écarlate du vitrail, alors frappé par le soleil, éclairait ces taches rouges, et en jetait

1. *Alcôve :* dans une chambre, partie en retrait dans laquelle peut se placer le lit et qui peut se fermer par un rideau.

de plus nombreuses dans tout l'appartement. Julien marcha vers les deux morts en se disant, en voulant croire, que cela n'était pas possible, qu'il s'était trompé, qu'il y a parfois des ressemblances inexplicables. Enfin, il se baissa légèrement pour voir de tout près le vieillard ; et il aperçut, entre ses paupières mal fermées, une prunelle éteinte qui le brûla comme du feu. Puis il se porta de l'autre côté de la couche, occupé par l'autre corps, dont les cheveux blancs masquaient une partie de la figure. Julien lui passa les doigts sous ses bandeaux, leva sa tête ; – et il la regardait, en la tenant au bout de son bras roidi, pendant que de l'autre main il s'éclairait avec le flambeau. Des gouttes, suintant du matelas, tombaient une à une sur le plancher.

À la fin du jour, il se présenta devant sa femme ; et, d'une voix différente de la sienne, il lui commanda premièrement de ne pas lui répondre, de ne pas l'approcher, de ne plus même le regarder, et qu'elle eût à suivre, sous peine de damnation, tous ses ordres qui étaient irrévocables.

Les funérailles seraient faites selon les instructions qu'il avait laissées par écrit, sur un prie-Dieu, dans la chambre des morts. Il lui abandonnait son palais, ses vassaux, tous ses biens, sans même retenir les vêtements de son corps, et ses sandales, que l'on trouverait au haut de l'escalier.

Elle avait obéi à la volonté de Dieu, en occasionnant son crime, et devait prier pour son âme, puisque désormais il n'existait plus.

On enterra les morts avec magnificence[1], dans l'église d'un monastère à trois journées du château. Un moine en cagoule rabattue suivit le cortège, loin de tous les autres, sans que personne osât lui parler.

Il resta pendant la messe, à plat ventre au milieu du portail, les bras en croix, et le front dans la poussière.

1. *Magnificence :* faste, éclat.

Après l'ensevelissement, on le vit prendre le chemin qui menait aux montagnes. Il se retourna plusieurs fois, et finit par disparaître.

III

Il s'en alla, mendiant sa vie par le monde.

785 Il tendait sa main aux cavaliers sur les routes, avec des génuflexions s'approchait des moissonneurs, ou restait immobile devant la barrière des cours ; et son visage était si triste que jamais on ne lui refusait l'aumône.

Par esprit d'humilité, il racontait son histoire ; alors tous 790 s'enfuyaient, en faisant des signes de croix. Dans les villages où il avait déjà passé, sitôt qu'il était reconnu, on fermait les portes, on lui criait des menaces, on lui jetait des pierres. Les plus charitables posaient une écuelle sur le bord de leur fenêtre, puis fermaient l'auvent pour ne pas l'apercevoir.

795 Repoussé de partout, il évita les hommes ; et il se nourrit de racines, de plantes, de fruits perdus, et de coquillages qu'il cherchait le long des grèves.

Quelquefois, au tournant d'une côte, il voyait sous ses yeux une confusion de toits pressés, avec des flèches de pierre [1], des 800 ponts, des tours, des rues noires s'entrecroisant, et d'où montait jusqu'à lui un bourdonnement continuel.

Le besoin de se mêler à l'existence des autres le faisait descendre dans la ville. Mais l'air bestial des figures, le tapage des métiers [2], l'indifférence des propos glaçaient son cœur. Les

1. *Flèches de pierre :* flèches des églises et des tourelles. \ 2. *Métiers :* métiers à tisser.

805 jours de fête, quand le bourdon[1] des cathédrales mettait en joie dès l'aurore le peuple entier, il regardait les habitants sortir de leurs maisons, puis les danses sur les places, les fontaines de cervoise[2] dans les carrefours, les tentures de damas[3] devant le logis des princes, et le soir venu, par le vitrage des rez-de-
810 chaussée, les longues tables de famille où des aïeux tenaient des petits enfants sur leurs genoux; des sanglots l'étouffaient, et il s'en retournait vers la campagne.

Il contemplait avec des élancements d'amour les poulains dans les herbages, les oiseaux dans leurs nids, les insectes sur
815 les fleurs; tous, à son approche, couraient plus loin, se cachaient effarés, s'envolaient bien vite.

Il rechercha les solitudes. Mais le vent apportait à son oreille comme des râles d'agonie; les larmes de la rosée tombant par terre lui rappelaient d'autres gouttes d'un poids plus lourd. Le
820 soleil, tous les soirs, étalait du sang dans les nuages; et chaque nuit, en rêve, son parricide recommençait.

Il se fit un cilice[4] avec des pointes de fer. Il monta sur les deux genoux toutes les collines ayant une chapelle à leur sommet. Mais l'impitoyable pensée obscurcissait la splendeur
825 des tabernacles[5], le torturait à travers les macérations de la pénitence[6].

Il ne se révoltait pas contre Dieu qui lui avait infligé cette action, et pourtant se désespérait de l'avoir pu commettre.

Sa propre personne lui faisait tellement horreur qu'espérant
830 s'en délivrer il l'aventura dans des périls. Il sauva des paraly-

1. *Bourdon :* grosse cloche à son grave. \ 2. *Cervoise :* bière d'origine gauloise, répandue au Moyen Âge, fabriquée par fermentation de l'orge. \ 3. *Damas :* riche étoffe de satin et de taffetas dans laquelle les mêmes motifs apparaissent à l'endroit et à l'envers. \ 4. *Cilice :* chemise de crin rugueux portée à même la peau par mortification. \ 5. *Tabernacles :* petites armoires fermant à clé, dans lesquelles sont conservées les hosties; celles-ci symbolisent le corps du Christ. \ 6. *Macérations de la pénitence :* souffrances physiques que Julien s'infligeait pour se repentir et se punir.

tiques des incendies, des enfants du fond des gouffres. L'abîme le rejetait, les flammes l'épargnaient.

Le temps n'apaisa pas sa souffrance. Elle devenait intolérable. Il résolut de mourir.

835 Et un jour qu'il se trouvait au bord d'une fontaine, comme il se penchait dessus pour juger de la profondeur de l'eau, il vit paraître en face de lui un vieillard tout décharné, à barbe blanche et d'un aspect si lamentable qu'il lui fut impossible de retenir ses pleurs. L'autre, aussi, pleurait. Sans reconnaître son 840 image, Julien se rappelait confusément une figure ressemblant à celle-là. Il poussa un cri ; c'était son père ; et il ne pensa plus à se tuer.

Ainsi, portant le poids de son souvenir, il parcourut beaucoup de pays ; et il arriva près d'un fleuve dont la traversée était 845 dangereuse, à cause de sa violence et parce qu'il y avait sur les rives une grande étendue de vase. Personne depuis longtemps n'osait plus le passer.

Une vieille barque, enfouie à l'arrière, dressait sa proue dans les roseaux. Julien en l'examinant découvrit une paire d'avirons ; 850 et l'idée lui vint d'employer son existence au service des autres.

Il commença par établir sur la berge une manière de chaussée qui permettrait de descendre jusqu'au chenal ; et il se brisait les ongles à remuer les pierres énormes, les appuyait contre son ventre pour les transporter, glissait dans la vase, y 855 enfonçait, manqua périr plusieurs fois.

Ensuite, il répara le bateau avec des épaves de navires, et il se fit une cahute[1] avec de la terre glaise et des troncs d'arbres.

Le passage étant connu, les voyageurs se présentèrent. Ils l'appelaient de l'autre bord, en agitant des drapeaux ; Julien 860 bien vite sautait dans sa barque. Elle était très lourde ; et on la surchargeait par toutes sortes de bagages et de fardeaux, sans

1. *Cahute :* cabane.

compter les bêtes de somme, qui, ruant de peur, augmentaient l'encombrement. Il ne demandait rien pour sa peine ; quelques-uns lui donnaient des restes de victuailles qu'ils tiraient de leur bissac[1] ou des habits trop usés dont ils ne voulaient plus. Des brutaux vociféraient des blasphèmes[2]. Julien les reprenait avec douceur ; et ils ripostaient par des injures. Il se contentait de les bénir.

Une petite table, un escabeau, un lit de feuilles mortes et trois coupes d'argile, voilà tout ce qu'était son mobilier. Deux trous dans la muraille servaient de fenêtres. D'un côté, s'étendaient à perte de vue des plaines stériles ayant sur leur surface de pâles étangs, çà et là ; et le grand fleuve, devant lui, roulait ses flots verdâtres. Au printemps, la terre humide avait une odeur de pourriture. Puis, un vent désordonné soulevait la poussière en tourbillons. Elle entrait partout, embourbait l'eau, craquait sous les gencives. Un peu plus tard, c'était des nuages de moustiques, dont la susurration[3] et les piqûres ne s'arrêtaient ni jour ni nuit. Ensuite, survenaient d'atroces gelées qui donnaient aux choses la rigidité de la pierre, et inspiraient un besoin fou de manger de la viande.

Des mois s'écoulaient sans que Julien vît personne. Souvent il fermait les yeux, tâchant, par la mémoire, de revenir dans sa jeunesse ; – et la cour d'un château apparaissait avec des lévriers sur un perron, des valets dans la salle d'armes, et, sous un berceau de pampres[4], un adolescent à cheveux blonds entre un vieillard couvert de fourrures et une dame à grand hennin ; tout à coup, les deux cadavres étaient là. Il se jetait à plat ventre sur son lit, et répétait en pleurant :

– « Ah ! pauvre père ! pauvre mère ! pauvre mère ! » et

1. *Bissac :* besace ; le mot vient du latin *bisaccium*, « double sac » ; à l'origine, la besace est un sac long ouvert par le milieu de façon à former deux poches. \ **2.** *Blasphèmes :* paroles outrageantes pour la Divinité ou la religion. \ **3.** *Susurration :* murmure. \ **4.** *Pampres :* vignes.

tombait dans un assoupissement où les visions funèbres continuaient.

Une nuit qu'il dormait, il crut entendre quelqu'un l'appeler. Il tendit l'oreille et ne distingua que le mugissement des flots.

895 Mais la voix reprit :

– « Julien ! »

Elle venait de l'autre bord, ce qui lui parut extraordinaire, vu la largeur du fleuve.

Une troisième fois on appela :

900 – « Julien ! »

Et cette voix haute avait l'intonation d'une cloche d'église.

Ayant allumé sa lanterne, il sortit de la cahute. Un ouragan furieux emplissait la nuit. Les ténèbres étaient profondes, et çà et là déchirées par la blancheur des vagues qui bondissaient.

905 Après une minute d'hésitation, Julien dénoua l'amarre. L'eau, tout de suite, devint tranquille, la barque glissa dessus et toucha l'autre berge, où un homme attendait.

Il était enveloppé d'une toile en lambeaux, la figure pareille à un masque de plâtre et les deux yeux plus rouges que des 910 charbons. En approchant de lui la lanterne, Julien s'aperçut qu'une lèpre[1] hideuse le recouvrait ; cependant, il avait dans son attitude comme une majesté de roi.

Dès qu'il entra dans la barque, elle enfonça prodigieusement, écrasée par son poids ; une secousse la remonta ; et Julien 915 se mit à ramer.

À chaque coup d'aviron, le ressac des flots la soulevait par l'avant. L'eau, plus noire que de l'encre, courait avec furie des deux côtés du bordage. Elle creusait des abîmes, elle faisait des montagnes, et la chaloupe sautait dessus, puis redescendait

1. *Lèpre :* maladie contagieuse qui ronge la peau et le système nerveux ; la lèpre est une « maladie de la pauvreté » car liée à la malnutrition et au manque d'hygiène ; au Moyen Âge, elle était très répandue en Europe et les lépreux étaient tenus à l'écart.

920 dans des profondeurs où elle tournoyait, ballottée par le vent.

Julien penchait son corps, dépliait les bras, et, s'arc-boutant des pieds, se renversait avec une torsion de la taille, pour avoir plus de force. La grêle cinglait ses mains, la pluie coulait dans son dos, la violence de l'air l'étouffait, il s'arrêta. Alors le bateau 925 fut emporté à la dérive. Mais, comprenant qu'il s'agissait d'une chose considérable, d'un ordre auquel il ne fallait pas désobéir, il reprit ses avirons ; et le claquement des tolets[1] coupait la clameur de la tempête.

La petite lanterne brûlait devant lui. Des oiseaux, en vole-930 tant, la cachaient par intervalles. Mais toujours il apercevait les prunelles du Lépreux qui se tenait debout à l'arrière, immobile comme une colonne.

Et cela dura longtemps, très longtemps !

Quand ils furent arrivés dans la cahute, Julien ferma la 935 porte ; et il le vit siégeant sur l'escabeau. L'espèce de linceul[2] qui le recouvrait était tombé jusqu'à ses hanches ; et ses épaules, sa poitrine, ses bras maigres disparaissaient sous des plaques de pustules écailleuses[3]. Des rides énormes labouraient son front. Tel qu'un squelette, il avait un trou à la place du nez ; et ses 940 lèvres bleuâtres dégageaient une haleine épaisse comme du brouillard, et nauséabonde.

– « J'ai faim ! » dit-il.

Julien lui donna ce qu'il possédait, un vieux quartier de lard et les croûtes d'un pain noir.

945 Quand il les eut dévorés, la table, l'écuelle et le manche du couteau portaient les mêmes taches que l'on voyait sur son corps.

Ensuite, il dit : – « J'ai soif ! »

Julien alla chercher sa cruche et, comme il la prenait, il en

1. *Tolets :* pièces pivotantes fixées dans le bordage du bateau et facilitant la mise en mouvement des avirons. \ 2. *Linceul :* drap mortuaire. \ 3. *Pustules écailleuses :* boutons purulents ; la lèpre est une maladie squameuse (qui produit des écailles).

sortit un arôme qui dilata son cœur et ses narines. C'était du vin ; quelle trouvaille ! mais le Lépreux avança le bras, et d'un trait vida toute la cruche.

Puis il dit : – « J'ai froid ! »

Julien, avec sa chandelle, enflamma un paquet de fougères, au milieu de la cabane.

Le Lépreux vint s'y chauffer ; et, accroupi sur les talons, il tremblait de tous ses membres, s'affaiblissait ; ses yeux ne brillaient plus, ses ulcères[1] coulaient, et d'une voix presque éteinte, il murmura – « Ton lit ! »

Julien l'aida doucement à s'y traîner, et même étendit sur lui, pour le couvrir, la toile de son bateau.

Le Lépreux gémissait. Les coins de sa bouche découvraient ses dents, un râle accéléré lui secouait la poitrine, et son ventre, à chacune de ses aspirations, se creusait jusqu'aux vertèbres.

Puis il ferma les paupières.

– « C'est comme de la glace dans mes os ! Viens près de moi ! »

Et Julien, écartant la toile, se coucha sur les feuilles mortes, près de lui, côte à côte.

Le Lépreux tourna la tête.

– « Déshabille-toi, pour que j'aie la chaleur de ton corps ! »

Julien ôta ses vêtements ; puis, nu comme au jour de sa naissance, se replaça dans le lit ; et il sentait contre sa cuisse la peau du Lépreux, plus froide qu'un serpent et rude comme une lime.

Il tâchait de l'encourager ; et l'autre répondait, en haletant :

– « Ah ! je vais mourir !... Rapproche-toi, réchauffe-moi ! Pas avec les mains ! non ! toute ta personne. »

Julien s'étala dessus complètement, bouche contre bouche, poitrine sur poitrine.

Alors le Lépreux l'étreignit ; et ses yeux tout à coup prirent

1. *Ulcères :* plaies suppurantes.

980 une clarté d'étoiles ; ses cheveux s'allongèrent comme les rais [1] du soleil ; le souffle de ses narines avait la douceur des roses ; un nuage d'encens s'éleva du foyer, les flots chantaient. Cependant une abondance de délices, une joie surhumaine descendait comme une inondation dans l'âme de Julien pâmé ; et celui 985 dont les bras le serraient toujours grandissait, grandissait, touchant de sa tête et de ses pieds les deux murs de la cabane. Le toit s'envola, le firmament se déployait ; – et Julien monta vers les espaces bleus, face à face avec Notre-Seigneur Jésus, qui l'emportait dans le ciel.

990 Et voilà l'histoire de saint Julien l'Hospitalier, telle à peu près qu'on la trouve, sur un vitrail d'église, dans mon pays.

1. *Rais :* rayons.

HÉRODIAS

I

La citadelle de Machærous[1] se dressait à l'orient[2] de la mer Morte[3], sur un pic de basalte[4] ayant la forme d'un cône. Quatre vallées profondes l'entouraient, deux vers les flancs, une en face, sa quatrième au-delà. Des maisons se tassaient
5 contre sa base, dans le cercle d'un mur qui ondulait suivant les inégalités du terrain; et, par un chemin en zigzag tailladant le rocher, la ville se reliait à la forteresse, dont les murailles étaient hautes de cent vingt coudées[5], avec des angles nombreux, des créneaux sur le bord, et, çà et là, des
10 tours qui faisaient comme des fleurons à cette couronne de pierres, suspendue au-dessus de l'abîme.

Il y avait dans l'intérieur un palais[6] orné de portiques[7], et couvert d'une terrasse que fermait une balustrade en bois de sycomore[8], où des mâts étaient disposés pour tendre un
15 vélarium[9].

---

1. *Citadelle de Machærous* (Machéronte) : forteresse bâtie à l'est de la mer Morte au Ier siècle avant J.-C. par Alexandre-Jannée, prêtre asmonéen, pour défendre la Judée contre les raids arabes; elle fut magnifiquement restaurée et fortifiée par Hérode le Grand. Les Romains et les Juifs se la disputèrent longtemps. \ **2.** *À l'orient :* à l'est. \ **3.** *Mer Morte :* mer fermée, très salée (cinq fois plus que l'eau de mer), située à plus de 50 km de la côte méditerranéenne et à plus de 400 mètres au-dessous du niveau de la mer; mesurant 10 km sur 85 km, la mer Morte est plutôt un lac; ses eaux sont aujourd'hui partagées entre Israël et la Jordanie. \ **4.** *Basalte :* roche volcanique. \ **5.** *Cent vingt coudées :* une coudée romaine mesure 44,2 centimètres; les murailles mesuraient donc 53 mètres environ. \ **6.** *Palais :* palais construit sur ordre d'Hérode le Grand. \ **7.** *Portiques :* galeries ouvertes, bordées par deux rangées de colonnes, ou par un mur et une rangée de colonnes. \ **8.** *Sycomore :* figuier. \ **9.** *Vélarium :* voile tendu pour se protéger du soleil.

Un matin, avant le jour, le Tétrarque[1] Hérode Antipas[2] vint s'y accouder, et regarda.

Les montagnes, immédiatement sous lui, commençaient à découvrir leurs crêtes, pendant que leur masse, jusqu'au fond des
20 abîmes, était encore dans l'ombre. Un brouillard flottait, il se déchira, et les contours de la mer Morte apparurent. L'aube, qui se levait derrière Machærous, épandait une rougeur. Elle illumina bientôt les sables de la grève, les collines, le désert, et, plus loin, tous les monts de la Judée, inclinant leurs surfaces raboteuses et
25 grises. Engaddi[3], au milieu, traçait une barre noire; Hébron[4], dans l'enfoncement, s'arrondissait en dôme; Esquol[5] avait des grenadiers[6], Sorek[7] des vignes, Karmel[8] des champs de sésame[9]; et la tour Antonia[10], de son cube monstrueux, dominait Jérusalem. Le Tétrarque en détourna la vue pour contempler, à
30 droite, les palmiers de Jéricho[11]; et il songea aux autres villes de sa Galilée : Capharnaüm, Endor, Nazareth, Tibérias[12] où peut-être il ne reviendrait plus. Cependant le Jourdain[13] coulait sur la plaine aride. Toute blanche, elle éblouissait comme une nappe de neige. Le lac, maintenant, semblait en lapis-lazuli[14]; et à sa
35 pointe méridionale, du côté de l'Yémen, Antipas reconnut ce

---

1. *Tétrarque :* chef militaire et politique à la tête d'une des quatre provinces qui composent la Judée (du grec *tetra-*, « quatre »). \ **2.** *Hérode Antipas :* après la mort d'Hérode le Grand, en 4 avant J.-C., la Judée fut divisée en quatre provinces, chacune dirigée par un tétrarque qui tenait son pouvoir de Rome. Hérode Antipas reçut de son père Hérode le Grand le gouvernement de la Galilée et de la Pérée. \ **3.** *Engaddi* (aujourd'hui Ein Gedi) : ville sur la rive ouest de la mer Morte. \ **4.** *Hébron :* ville très ancienne de Judée à 25 km au nord-ouest d'Engaddi; Iaokanann y serait né; selon la tradition, Abraham y aurait son tombeau. \ **5.** *Esquol :* ville entre Jérusalem et Hébron. \ **6.** *Grenadiers :* arbrisseaux qui donnent les grenades. \ **7.** *Sorek :* torrent au nord-ouest de Jérusalem. \ **8.** *Karmel :* ville située à 15 km au sud-ouest d'Engaddi. \ **9.** *Sésame :* plante très appréciée pour ses graines comestibles riches en huile. \ **10.** *Tour Antonia :* construite en l'honneur de l'empereur Marc Antoine par Hérode le Grand, elle symbolise la puissance romaine. \ **11.** *Jéricho :* construite sur un affluent du Jourdain, la ville dont la Bible dit qu'elle aurait possédé des remparts est à 20 km au nord-est de Jérusalem. \ **12.** *Capharnaüm, Endor, Nazareth, Tibérias :* ces quatre villes de Galilée sont au sud ou à l'ouest du lac de Tibériade; la dernière fut fondée par Hérode Antipas en l'honneur de l'empereur Tibère; Jésus-Christ est né à Nazareth. \ **13.** *Jourdain :* fleuve reliant le lac de Tibériade à la mer Morte; Jean-Baptiste baptisa Jésus dans le Jourdain. \ **14.** *Lapis-lazuli :* pierre précieuse bleue.

qu'il craignait d'apercevoir. Des tentes brunes étaient dispersées; des hommes avec des lances circulaient entre les chevaux, et des feux s'éteignant brillaient comme des étincelles à ras du sol.

C'étaient les troupes du roi des Arabes[1], dont il avait 40 répudié la fille pour prendre Hérodias[2], mariée à l'un de ses frères qui vivait en Italie, sans prétentions au pouvoir.

Antipas attendait les secours des Romains; et Vitellius[3], gouverneur de la Syrie[4], tardant à paraître, il se rongeait d'inquiétudes.

45 Agrippa[5], sans doute, l'avait ruiné chez l'Empereur? Philippe[6], son troisième frère, souverain de la Batanée, s'armait clandestinement. Les Juifs ne voulaient plus de ses mœurs idolâtres[7], tous les autres de sa domination; si bien qu'il hésitait entre deux projets : adoucir les Arabes ou conclure une 50 alliance avec les Parthes[8]; et, sous le prétexte de fêter son anniversaire, il avait convié, pour ce jour même, à un grand festin, les chefs de ses troupes, les régisseurs de ses campagnes et les principaux de la Galilée.

Il fouilla d'un regard aigu toutes les routes. Elles étaient 55 vides. Des aigles volaient au-dessus de sa tête; les soldats, le long du rempart, dormaient contre les murs; rien ne bougeait dans le château.

---

1. *Roi des Arabes :* Arétas, émir de Pétra. \ **2.** *Hérodias :* petite-fille d'Hérode le Grand; après avoir épousé Hérode-Philippe, elle a épousé son oncle et beau-frère Hérode Antipas qui, pour l'épouser, a dû répudier sa propre épouse, fille d'Arétas. Ce dernier ayant mal pris l'humiliation de sa fille, Antipas a appelé les Romains à son aide. Historiquement, c'est seulement après la décapitation de Jean-Baptiste qu'Antipas a demandé l'aide de Vitellius pour se défendre contre les armées arabes d'Arétas. \ **3.** *Vitellius :* Lucius Vitellius, proconsul, père du futur empereur Aulus Vitellius; Lucius Vitellius fut gouverneur de Syrie de 35 à 39. \ **4.** *Syrie :* ensemble des provinces situées entre la Palestine et l'Euphrate. \ **5.** *Agrippa :* frère d'Hérodias et neveu d'Hérode Antipas. \ **6.** *Philippe :* premier mari d'Hérodias, il est le père de Salomé. À la mort de son père Hérode le Grand, il devient Tétrarque de Batanée, domaine situé à l'est du lac de Tibériade. \ **7.** *Mœurs idolâtres :* pour les Juifs, sont idolâtres ceux qui vénèrent les idoles du polythéisme et non le vrai Dieu; Antipas est de ceux-là. \ **8.** *Parthes :* peuple scythe occupant la Mésopotamie (région du Tigre et de l'Euphrate) et se livrant à des incursions redoutées en Palestine.

Tout à coup, une voix lointaine, comme échappée des profondeurs de la terre, fit pâlir le Tétrarque. Il se pencha pour
60 écouter ; elle avait disparu. Elle reprit ; et en claquant dans ses mains, il cria : – « Mannaeï ! Mannaeï ! »

Un homme se présenta, nu jusqu'à la ceinture, comme les masseurs des bains. Il était très grand, vieux, décharné, et portait sur la cuisse un coutelas dans une gaine de bronze. Sa chevelure,
65 relevée par un peigne, exagérait la longueur de son front. Une somnolence décolorait ses yeux, mais ses dents brillaient, et ses orteils posaient légèrement sur les dalles, tout son corps ayant la souplesse d'un singe, et sa figure l'impassibilité d'une momie.

– « Où est-il ? » demanda le Tétrarque.

70 Mannaeï répondit, en indiquant avec son pouce un objet derrière eux :

– « Là ! toujours ! »

– « J'avais cru l'entendre ! »

Et Antipas, quand il eut respiré largement, s'informa de
75 Iaokanann[1], le même que les Latins appellent saint Jean-Baptiste. Avait-on revu ces deux hommes, admis par indulgence, l'autre mois, dans son cachot, et savait-on, depuis lors, ce qu'ils étaient venus faire[2] ?

Mannaeï répliqua :

80 – « Ils ont échangé avec lui des paroles mystérieuses, comme les voleurs, le soir, aux carrefours des routes. Ensuite ils sont

---

1. *Iaokanann :* Antipas a mis au cachot Iaokanann (translittération due à Flaubert de « Jean-Baptiste » en hébreu) car il a publiquement déclaré que le tétrarque ne pouvait s'unir à sa nièce et belle-sœur Hérodias. « Car Jean disait à Hérode : "Il ne t'est pas permis de garder la femme de ton frère". Aussi Hérodiade le haïssait et voulait le faire mourir, car Hérode craignait Jean, sachant que c'était un homme juste et saint, et il le protégeait. » Nouveau Testament, Marc VI, 18-20. D'après l'historien Flavius Josephe, Hérode Antipas redoutait plus encore le rôle de meneur de Jean qui parvenait à rassembler des foules toujours plus nombreuses et attentives, ce qui devenait inquiétant pour le pouvoir. \ **2.** *Avait-on revu* [...] *venus faire :* il s'agit des deux disciples envoyés par Jean-Baptiste : « Or Jean, dans sa prison, avait entendu parler des œuvres du Christ. Il lui envoya demander par ses disciples : "Es-tu Celui qui doit venir ou devons-nous en attendre un autre ?" Nouveau Testament, Matthieu XII, 2-3 et Luc VII, 18-19.

partis vers la Haute-Galilée[1], en annonçant qu'ils apporteraient une grande nouvelle[2]. »

Antipas baissa la tête, puis d'un air d'épouvante :

85 – « Garde-le ! garde-le ! Et ne laisse entrer personne ! Ferme bien la porte ! Couvre la fosse ! On ne doit pas même soupçonner qu'il vit ! »

Sans avoir reçu ces ordres, Mannaeï les accomplissait ; car Iaokanann était Juif, et il exécrait les Juifs comme tous les 90 Samaritains[3].

Leur temple de Garizim[4], désigné par Moïse[5] pour être le centre d'Israël, n'existait plus depuis le roi Hyrcan[6] ; et celui de Jérusalem les mettait dans la fureur d'un outrage, et d'une injustice permanente. Mannaeï s'y était introduit, afin d'en 95 souiller l'autel avec des os de morts. Ses compagnons, moins rapides, avaient été décapités.

Il l'aperçut[7] dans l'écartement de deux collines. Le soleil faisait resplendir ses murailles de marbre blanc et les lames d'or de sa toiture. C'était comme une montagne lumineuse, 100 quelque chose de surhumain, écrasant tout de son opulence et de son orgueil.

Alors il étendit les bras du côté de Sion[8] ; et, la taille droite, le visage en arrière, les poings fermés, lui jeta un anathème[9], croyant que les mots avaient un pouvoir effectif.

105 Antipas écoutait, sans paraître scandalisé.

---

1. *Haute-Galilée :* après son baptême et son jeûne de 40 jours, Jésus va prêcher en Galilée (Nouveau Testament, Matthieu III, 13-17 ; IV, 1-25 ; Luc III, 19-22 et IV, 14). \ **2.** *Une grande nouvelle :* le mot « Évangile » signifie « Bonne Nouvelle ». \ **3.** *Samaritains :* habitants de la Samarie, située entre la Galilée au nord et la Judée au sud ; ils refusaient l'hégémonie religieuse du Temple de Jérusalem de longue date et n'étaient pas considérés comme de « vrais Juifs ». \ **4.** *Garizim :* mont du sud-est de la Samarie sur lequel un temple samaritain rivalisait avec celui de Jérusalem. \ **5.** *Moïse :* prophète, fondateur de la nation et de la religion d'Israël (XIIIe siècle avant J.-C.). \ **6.** *Le roi Hyrcan :* prêtre asmonéen, père d'Alexandre-Jannée, le fondateur de la citadelle de Machærous. Jean Hyrcan avait détruit la ville de Samarie en 108 avant J.-C. \ **7.** *Il l'aperçut :* il aperçut le Temple d'Hérode le Grand. \ **8.** *Sion :* Jérusalem (au départ, Sion désignait seulement l'une des quatre collines de la ville). \ **9.** *Anathème :* malédiction.

Le Samaritain dit encore :

– « Par moments il s'agite, il voudrait fuir, il espère une délivrance. D'autres fois, il a l'air tranquille d'une bête malade ; ou bien je le vois qui marche dans les ténèbres, en répétant :
110 "Qu'importe ? Pour qu'il grandisse, il faut que je diminue[1] !" »

Antipas et Mannaeï se regardèrent. Mais le Tétrarque était las de réfléchir.

Tous ces monts autour de lui, comme des étages de grands flots pétrifiés, les gouffres noirs sur le flanc des falaises, l'im-
115 mensité du ciel bleu, l'éclat violent du jour, la profondeur des abîmes le troublaient ; et une désolation l'envahissait au spectacle du désert, qui figure, dans le bouleversement de ses terrains, des amphithéâtres et des palais abattus. Le vent chaud apportait, avec l'odeur du soufre, comme l'exhalaison des villes
120 maudites[2], ensevelies plus bas que le rivage sous les eaux pesantes. Ces marques d'une colère immortelle effrayaient sa pensée ; et il restait les deux coudes sur la balustrade, les yeux fixes et les tempes dans les mains. Quelqu'un l'avait touché. Il se retourna. Hérodias était devant lui.

125 Une simarre[3] de pourpre[4] légère l'enveloppait jusqu'aux sandales. Sortie précipitamment de sa chambre, elle n'avait ni colliers ni pendants d'oreilles ; une tresse de ses cheveux noirs lui tombait sur un bras, et s'enfonçait, par le bout, dans l'intervalle de ses deux seins. Ses narines, trop remontées, palpi-
130 taient ; la joie d'un triomphe éclairait sa figure ; et, d'une voix forte, secouant le Tétrarque :

– « César[5] nous aime ! Agrippa est en prison ! »

1. *Pour qu'il grandisse, il faut que je diminue ! :* citation du Nouveau Testament, Jean III, 30-31, dans laquelle le pronom *il* représente Jésus-Christ. Elle annonce les dernières lignes du conte. \ **2.** *Villes maudites :* allusion à Sodome et Gomorrhe, villes aux mœurs corrompues, détruites par le soufre et le feu de la colère divine puis englouties dans la mer Morte (Genèse, XIX, 24). \ **3.** *Simarre :* robe longue d'intérieur. \ **4.** *Pourpre :* rouge fondé ; couleur impériale. \ **5.** *César :* Tibère (le titre de César s'emploie pour désigner tout empereur romain).

– « Qui te l'a dit ? »

– « Je le sais ! »

135 Elle ajouta :

– « C'est pour avoir souhaité l'empire à Caïus [1] ! »

Tout en vivant de leurs aumônes, il avait brigué le titre de roi, qu'ils ambitionnaient comme lui. Mais dans l'avenir plus de craintes ! – « Les cachots de Tibère s'ouvrent difficilement, 140 et quelquefois l'existence n'y est pas sûre ! »

Antipas la comprit ; et, bien qu'elle fût la sœur d'Agrippa, son intention atroce lui sembla justifiée. Ces meurtres étaient une conséquence des choses, une fatalité des maisons royales. Dans celle d'Hérode, on ne les comptait plus [2].

145 Puis elle étala son entreprise : les clients [3] achetés, les lettres découvertes, des espions à toutes les portes, et comment elle était parvenue à séduire Eutychès le dénonciateur [4]. – « Rien ne me coûtait ! Pour toi, n'ai-je pas fait plus ?... J'ai abandonné ma fille [5] ! »

150 Après son divorce, elle avait laissé dans Rome cette enfant, espérant bien en avoir d'autres du Tétrarque. Jamais elle n'en parlait. Il se demanda pourquoi son accès de tendresse.

On avait déplié le vélarium et apporté vivement de larges coussins auprès d'eux. Hérodias s'y affaissa, et pleurait, en 155 tournant le dos. Puis elle se passa la main sur les paupières, dit qu'elle n'y voulait plus songer, qu'elle se trouvait heureuse ; et elle lui rappela leurs causeries là-bas [6], dans l'atrium [7], les

1. *Caïus :* le futur empereur Caligula ; Agrippa était devenu l'ami de Caïus, le futur empereur Caligula qui allait succéder à Tibère. \ **2.** *Ces meurtres* [...] *on ne les comptait plus :* Hérode le Grand, pour affermir son pouvoir, avait fait assassiner trois de ses fils, sa propre femme et bien d'autres membres de sa famille. \ **3.** *Clients :* partisans d'un grand personnage. \ **4.** *Eutychès le dénonciateur :* esclave affranchi qui trahit Agrippa auprès de Tibère en l'an 36, soit après la mort de Jean-Baptiste. \ **5.** *J'ai abandonné ma fille :* Hérodias fait référence à Salomé, la fille qu'elle a eue de son premier mariage avec Hérode Philippe. \ **6.** *Là-bas :* à Rome, où Hérodias et Antipas se sont rencontrés. \ **7.** *Atrium :* pièce centrale d'une maison romaine, éclairée par une large ouverture carrée dans le toit, entourée d'un portique, pourvue d'un bassin, ornée de bustes.

rencontres aux étuves[1], leurs promenades le long de la voie Sacrée[2], et les soirs, dans les grandes villas[3], au murmure des jets d'eau, sous des arcs de fleurs, devant la campagne romaine. Elle le regardait comme autrefois, en se frôlant contre sa poitrine, avec des gestes câlins. – Il la repoussa. L'amour qu'elle tâchait de ranimer était si loin, maintenant ! Et tous ses malheurs en découlaient ; car, depuis douze ans bientôt, la guerre continuait. Elle avait vieilli le Tétrarque[4]. Ses épaules se voûtaient dans une toge[5] sombre, à bordure violette ; ses cheveux blancs se mêlaient à sa barbe, et le soleil, qui traversait le voile, baignait de lumière son front chagrin. Celui d'Hérodias également avait des plis ; et, l'un en face de l'autre, ils se considéraient d'une manière farouche.

Les chemins dans la montagne commencèrent à se peupler. Des pasteurs piquaient des bœufs, des enfants tiraient des ânes, des palefreniers conduisaient des chevaux. Ceux qui descendaient les hauteurs au-delà de Machærous disparaissaient derrière le château ; d'autres montaient le ravin en face, et, parvenus à la ville, déchargeaient leurs bagages dans les cours. C'étaient les pourvoyeurs du Tétrarque, et des valets, précédant ses convives.

Mais au fond de la terrasse, à gauche, un Essénien[6] parut, en robe blanche, nu-pieds, l'air stoïque[7]. Mannaeï, du côté droit, se précipitait en levant son coutelas.

Hérodias lui cria : – « Tue-le ! »

1. *Étuves :* pièce très chauffée qui correspond à une salle de bains. \ **2.** *Voie Sacrée :* la Via Sacra était une des rues les plus animées de Rome. \ **3.** *Villas :* d'abord domaines agricoles, puis, à l'époque impériale, vastes et luxueuses propriétés à la campagne. \ **4.** *Elle avait vieilli le Tétrarque :* Hérodias a 37 ans, Antipas a la cinquantaine. \ **5.** *Toge :* manteau de laine taillé en demi-cercle, dans lequel se drapaient les Romains. \ **6.** *Essénien :* on connaît mieux cette secte ascétique juive depuis la découverte, en 1947, d'un nombre important de manuscrits et des restes d'un véritable monastère à Qumrân, sur la rive nord-ouest de la mer Morte. Leurs principales règles semblent avoir été les suivantes : obéissance au supérieur, obéissance mutuelle, correction fraternelle, humilité, amour fraternel. De l'ensemble se dégagent une « spiritualité », un appel à la perfection et à la sainteté. Jean-Baptiste a sans doute cheminé quelque temps avec les Esséniens. \ **7.** *Stoïque :* Flaubert rapproche l'équanimité (« égalité d'âme ») des stoïciens de l'ascétisme des Esséniens.

– « Arrête ! » dit le Tétrarque.

Il devint immobile ; l'autre aussi.

Puis ils se retirèrent, chacun par un escalier différent, à reculons, sans se perdre des yeux.

– « Je le connais ! » dit Hérodias, « il se nomme Phanuel, et cherche à voir Iaokanann, puisque tu as l'aveuglement de le conserver ! »

Antipas objecta qu'il pouvait un jour servir. Ses attaques contre Jérusalem gagnaient à eux le reste des Juifs.

– « Non ! » reprit-elle, « ils acceptent tous les maîtres, et ne sont pas capables de faire une patrie ! » Quant à celui qui remuait le peuple avec des espérances conservées depuis Néhémias [1], la meilleure politique était de le supprimer.

Rien ne pressait, selon le Tétrarque. Iaokanann dangereux ! Allons donc ! Il affectait d'en rire.

– « Tais-toi ! » Et elle redit son humiliation, un jour qu'elle allait vers Galaad [2], pour la récolte du baume [3]. « – Des gens, au bord du fleuve, remettaient leurs habits sur un monticule, à côté, un homme parlait. Il avait une peau de chameau autour des reins, et sa tête ressemblait à celle d'un lion. Dès qu'il m'aperçut, il cracha sur moi toutes les malédictions des prophètes. Ses prunelles flamboyaient ; sa voix rugissait ; il levait les bras, comme pour arracher le tonnerre. Impossible de fuir ! les roues de mon char avaient du sable jusqu'aux essieux ; et je m'éloignais lentement, m'abritant sous mon manteau, glacée par ces injures qui tombaient comme une pluie d'orage. »

Iaokanann l'empêchait de vivre. Quand on l'avait pris et lié avec des cordes, les soldats devaient le poignarder s'il résistait ;

1. *Néhémias :* personnage de la Bible, gouverneur de Judée. En 445, Antaxerxès Ier, roi de Perse, autorisa Néhémias à reconstruire Jérusalem avec ses remparts. \ 2. *Galaad :* région au nord de la province de Pérée. \ 3. *Baume :* nom donné à une résine et à des plantes aromatiques aux propriétés balsamiques (adoucissantes) ; le baume entre dans la fabrication de remèdes et de parfums.

210 il s'était montré doux. On avait mis des serpents dans sa prison ; ils étaient morts.

L'inanité[1] de ces embûches exaspérait Hérodias. D'ailleurs, pourquoi sa guerre[2] contre elle ? Quel intérêt le poussait[3] ? Ses discours, criés à des foules, s'étaient répandus, circulaient ; elle
215 les entendait partout, ils emplissaient l'air. Contre des légions elle aurait eu de la bravoure. Mais cette force plus pernicieuse[4] que les glaives, et qu'on ne pouvait saisir, était stupéfiante[5] ; et elle parcourait la terrasse, blêmie par sa colère, manquant de mots pour exprimer ce qui l'étouffait.

220 Elle songeait aussi que le Tétrarque, cédant à l'opinion, s'aviserait peut-être de la répudier. Alors tout serait perdu ! Depuis son enfance, elle nourrissait le rêve d'un grand empire. C'était pour y atteindre que, délaissant son premier époux, elle s'était jointe à celui-là, qui l'avait dupée, pensait-elle.

225 – « J'ai pris un bon soutien, en entrant dans ta famille ! »

– « Elle vaut la tienne ! » dit simplement le Tétrarque.

Hérodias sentit bouillonner dans ses veines le sang des prêtres et des rois ses aïeux.

– « Mais ton grand-père balayait le temple d'Ascalon[6] ! Les
230 autres étaient bergers, bandits, conducteurs de caravanes, une horde, tributaire de Juda[7] depuis le roi David[8] ! Tous mes ancêtres ont battu les tiens ! Le premier des Makkabi[9] vous a chassés d'Hébron, Hyrcan forcés à vous circoncire[10] ! » Et,

1. *Inanité :* inutilité. \ **2.** *Sa guerre :* celle de Jean-Baptiste. \ **3.** *Quel intérêt le poussait ? :* Flaubert adopte l'avis de Flavius Josephe pour qui la mort de Jean-Baptiste était conforme à l'intérêt politique d'Antipas. \ **4.** *Pernicieuse :* qui cause une mort violente (sens étymologique). \ **5.** *Stupéfiante :* paralysante. \ **6.** *Ascalon :* une des cinq cités des Philistins, sur la côte méditerranéenne, à 70 km au sud-ouest de Jérusalem ; ville de naissance d'Hérode le Grand. \ **7.** *Juda :* la plus importante des douze tribus juives et, par extension, la nation juive. \ **8.** *David :* deuxième roi d'Israël (vers 1000 avant J.-C.), successeur de Saül. \ **9.** *Makkabi :* Macchabées, famille juive qui résista à l'occupation romaine au IIe siècle avant J.-C. ; le premier d'entre eux était Judas Macchabée. \ **10.** *À vous circoncire :* à subir la circoncision, opération chirurgicale réalisée sur le sexe des garçons ; ici l'expression vaut pour « à vous intégrer au peuple juif ».

exhalant le mépris de la patricienne[1] pour le plébéien[2], la haine
235 de Jacob[3] contre Édom[4], elle lui reprocha son indifférence aux outrages, sa mollesse envers les Pharisiens[5] qui le trahissaient, sa lâcheté pour le peuple qui la détestait. « Tu es comme lui, avoue-le ! et tu regrettes la fille arabe[6] qui danse autour des pierres. Reprends-la ! Va-t'en vivre avec elle, dans sa maison de
240 toile ! dévore son pain cuit sous la cendre ! avale le lait caillé de ses brebis ! baise ses joues bleues ! et oublie-moi ! »

Le Tétrarque n'écoutait plus. Il regardait la plate-forme d'une maison, où il y avait une jeune fille, et une vieille femme tenant un parasol à manche de roseau, long comme la ligne d'un
245 pêcheur. Au milieu du tapis, un grand panier de voyage restait ouvert. Des ceintures, des voiles, des pendeloques d'orfèvrerie en débordaient confusément. La jeune fille, par intervalles, se penchait vers ces choses, et les secouait à l'air. Elle était vêtue comme les Romaines, d'une tunique calamistrée[7] avec un
250 péplum[8] à glands d'émeraude ; et des lanières bleues[9] enfermaient sa chevelure, trop lourde, sans doute, car, de temps à autre, elle y portait la main. L'ombre du parasol se promenait au-dessus d'elle, en la cachant à demi. Antipas aperçut deux ou trois fois son col[10] délicat, l'angle d'un œil, le coin d'une petite
255 bouche. Mais il voyait, des hanches à la nuque, toute sa taille qui s'inclinait pour se redresser d'une manière élastique. Il épiait

---

1. *Patricienne :* Romaine appartenant à une grande lignée aristocratique par sa naissance. \ **2.** *Plébéien :* homme du peuple, d'une famille romanisée. \ **3.** *Jacob :* second fils d'Isaac, ses douze fils fondèrent les douze tribus d'Israël. \ **4.** *Édom :* surnom d'Ésaü, frère aîné de Jacob, dépossédé par ce dernier de son droit d'aînesse ; en raison de l'hostilité qui opposait les deux frères, Ésaü se fixa dans le sud de la Palestine, dans le « pays d'Édom », l'Idumée, dont Hérode le Grand et Antipas sont originaires. \ **5.** *Pharisiens :* secte religieuse juive ; les Pharisiens se veulent distincts du peuple ignorant, du fait de leur observation scrupuleuse de la Loi et de la Tradition ; intransigeants, hypocrites et respectés, ils sont les principaux opposants au message délivré par Jésus. \ **6.** *La fille arabe :* la fille d'Arétas, qu'Antipas a répudiée. \ **7.** *Calamistrée :* plissée, ondulée avec un fer chaud. \ **8.** *Péplum :* du latin *peplum* qui vient du grec *peplon*, « tunique » ; vêtement de femme sans manches agrafé sur l'épaule ; ce mot désigne aussi, aujourd'hui, un film historique traitant un épisode de l'Antiquité. \ **9.** *Lanières bleues :* résilles. \ **10.** *Col :* cou.

le retour de ce mouvement, et sa respiration devenait plus forte ; des flammes s'allumaient dans ses yeux. Hérodias l'observait.

Il demanda : – « Qui est-ce ? »

260 Elle répondit n'en rien savoir, et s'en alla soudainement apaisée.

Le Tétrarque était attendu sous les portiques par des Galiléens, le maître des écritures, le chef des pâturages, l'administrateur des salines[1] et un Juif de Babylone[2], commandant ses 265 cavaliers. Tous le saluèrent d'une acclamation. Puis, il disparut vers les chambres intérieures.

Phanuel surgit à l'angle d'un couloir.

– « Ah ! encore ? Tu viens pour Iaokanann, sans doute ? »

– « Et pour toi ! j'ai à t'apprendre une chose considérable. »

270 Et, sans quitter Antipas, il pénétra, derrière lui, dans un appartement obscur.

Le jour tombait par un grillage, se développant tout du long sous la corniche. Les murailles étaient peintes d'une couleur grenat[3], presque noir. Dans le fond s'étalait un lit d'ébène[4], 275 avec des sangles en peau de bœuf. Un bouclier d'or, au-dessus, luisait comme un soleil.

Antipas traversa toute la salle, se coucha sur le lit.

Phanuel était debout. Il leva son bras, et dans une attitude inspirée :

280 – « Le Très-Haut[5] envoie par moments un de ses fils. Iaokanann en est un. Si tu l'opprimes, tu seras châtié. »

– « C'est lui qui me persécute ! » s'écria Antipas. « Il a voulu de moi une action impossible[6]. Depuis ce temps-là il me déchire. Et je n'étais pas dur, au commencement ! Il a même dépêché de

1. *Salines* : marais salants de la mer Morte. \2. *Juif de Babylone* : 20 000 juifs avaient été déportés à Babylone en 586 avant J.-C. par Nabuchodonosor ; après l'autorisation qui leur fut donnée par Cyrus Ier de revenir, ils reconstruisent le Temple dès 516 avant J.-C. Mais certains étaient restés à Babylone. \3. *Grenat* : rouge foncé ; le grenat est une pierre précieuse. \4. *Ébène* : bois noir, très dur, qui vient d'Afrique, de Madagascar ou des Indes. \5. *Le Très-Haut* : Dieu. \6 *Il a voulu de moi une action impossible* : voir note 1, p. 94.

Machærous des hommes qui bouleversent mes provinces. Malheur à sa vie ! Puisqu'il m'attaque, je me défends ! »

– « Ses colères ont trop de violence », répliqua Phanuel. « N'importe ! Il faut le délivrer. »

– « On ne relâche pas les bêtes furieuses ! » dit le Tétrarque.

L'Essenien répondit :

– « Ne t'inquiète plus ! Il ira chez les Arabes, les Gaulois, les Scythes[1]. Son œuvre doit s'étendre jusqu'au bout de la terre ! »

Antipas semblait perdu dans une vision.

– « Sa puissance est forte !... Malgré moi, je l'aime ! »

– « Alors, qu'il soit libre ? »

Le Tétrarque hocha la tête. Il craignait Hérodias, Mannaeï et l'inconnu.

Phanuel tâcha de le persuader, en alléguant, pour garantie de ses projets, la soumission des Esséniens aux rois. On respectait ces hommes pauvres, indomptables par les supplices, vêtus de lin, et qui lisaient l'avenir dans les étoiles.

Antipas se rappela un mot de lui, tout à l'heure.

– « Quelle est cette chose, que tu m'annonçais comme importante ? »

Un nègre survint. Son corps était blanc de poussière. Il râlait et ne put que dire :

– « Vitellius ! »

– « Comment ? Il arrive ? »

– « Je l'ai vu. Avant trois heures, il est ici ! »

Les portières des corridors furent agitées comme par le vent. Une rumeur emplit le château, un vacarme de gens qui couraient, de meubles qu'on traînait, d'argenteries s'écroulant ; et, du haut des tours, des buccins[2] sonnaient, pour avertir les esclaves dispersés.

---

1. *Chez les Arabes, les Gaulois, les Scythes :* dans tout le monde connu, au sud, à l'ouest, à l'est.
2. *Buccins :* trompettes courtes des armées romaines.

II

Les remparts étaient couverts de monde quand Vitellius entra dans la cour. Il s'appuyait sur le bras de son interprète, suivi d'une grande litière[1] rouge ornée de panaches et de miroirs, ayant la toge[2], le laticlave[3], les brodequins[4] d'un consul[5] et des licteurs[6] autour de sa personne.

Ils plantèrent contre la porte leurs douze faisceaux, des baguettes reliées par une courroie avec une hache dans le milieu. Alors, tous frémirent devant la majesté du peuple romain.

La litière, que huit hommes manœuvraient, s'arrêta. Il en sortit un adolescent, le ventre gros, la face bourgeonnée, des perles le long des doigts. On lui offrit une coupe pleine de vin et d'aromates[7]. Il la but, et en réclama une seconde.

Le Tétrarque était tombé aux genoux du Proconsul[8], chagrin[9], disait-il, de n'avoir pas connu plus tôt la faveur de sa présence. Autrement, il eût ordonné[10] sur les routes tout ce qu'il fallait pour les Vitellius. Ils descendaient de la déesse Vitellia[11]. Une voie, menant du Janicule[12] à la mer, portait encore leur nom. Les questures[13], les consulats étaient innom-

---

1. *Litière :* lit ambulant utilisé pour le déplacement des personnalités. \ **2.** *Toge :* manteau de laine taillé en demi-cercle, dans lequel se drapaient les Romains. \ **3.** *Laticlave :* bande de pourpre qui orne la tunique des sénateurs romains : par extension, la tunique du sénateur elle-même *(tunica lato clauo)*. \ **4.** *Brodequins :* chaussures montantes de cuir rouge *(calcei patricii)*, couvrant le pied et le bas de la jambe, ornés d'un croissant. \ **5.** *Consul :* magistrat. \ **6.** *Licteurs :* gardes précédant les principaux magistrats romains et portant une hache dans un faisceau de verges. \ **7.** *Aromates :* plantes utilisées comme « assaisonnement » (muscade, cannelle, anis...), pour leurs parfums ou leurs vertus médicinales. \ **8.** *Proconsul :* ancien consul occupant des fonctions de gouverneur d'une province de l'Empire. \ **9** *Chagrin :* attristé. \ **10.** *Ordonné :* disposé avec ordre. \ **11.** *Vitellia :* déesse peu connue mentionnée par Suétone. \ **12.** *Janicule :* l'une des sept collines de Rome : elle était reliée à la mer Adriatique par la voie Vitellia. \ **13.** *Questures :* charges des magistrats qui s'occupaient des questions financières.

brables dans la famille; et quant à Lucius, maintenant son hôte, on devait le remercier comme vainqueur des Clites[1] et père de ce jeune Aulus[2], qui semblait revenir dans son domaine, puisque l'Orient était la patrie des dieux. Ces hyperboles[3] furent exprimées en latin. Vitellius les accepta impassiblement.

Il répondit que le grand Hérode suffisait à la gloire d'une nation[4]. Les Athéniens lui avaient donné la surintendance des jeux Olympiques. Il avait bâti des temples en l'honneur d'Auguste, été patient, ingénieux, terrible, et fidèle toujours aux Césars.

Entre les colonnes à chapiteaux d'airain[5], on aperçut Hérodias qui s'avançait d'un air d'impératrice, au milieu de femmes et d'eunuques[6] tenant sur des plateaux de vermeil[7] des parfums allumés.

Le Proconsul fit trois pas à sa rencontre; et, l'ayant saluée d'une inclinaison de tête :

– « Quel bonheur ! » s'écria-t-elle, « que désormais Agrippa, l'ennemi de Tibère, fût dans l'impossibilité de nuire[8] ! »

Il ignorait l'événement, elle lui parut dangereuse; et comme Antipas jurait qu'il ferait tout pour l'Empereur, Vitellius ajouta : – « Même au détriment des autres ? »

Il avait tiré des otages du roi des Parthes, et l'Empereur n'y songeait plus; car Antipas, présent à la conférence, pour se faire

---

1. *Clites :* peuple de Cilicie qui refusait de payer l'impôt et qui fut contraint de s'en acquitter par un lieutenant de Vitellius; la Cilicie se trouve au sud de la Turquie actuelle, entre la chaîne du Taurus et la Méditerranée. \ **2.** *Aulus :* fils de Lucius Vitellius, futur empereur qu'on vient de voir dans une litière. \ **3.** *Hyperboles :* il s'agit plus précisément de flatteries. \ **4.** *Suffisait à la gloire d'une nation :* flatterie ambiguë car on peut comprendre que Vitellius fait l'éloge de la lignée d'Hérode et de ses descendants, mais on peut aussi comprendre que la gloire d'Hérode le Grand ne peut être dépassée. \ **5.** *Airain :* bronze. \ **6.** *Eunuques :* hommes castrés qui gardent les femmes du harem. \ **7.** *Vermeil :* argent recouvert d'or. \ **8** *Agrippa* [...] *l'impossibilité de nuire :* (voir note 1, p. 97) à force d'intriguer en faveur de Caïus (futur Caligula), Agrippa s'était retrouvé en prison quelque temps sur ordre de Tibère.

valoir, en avait tout de suite expédié la nouvelle[1]. De là, une haine profonde, et les retards à fournir des secours.

Le Tétrarque balbutia. Mais Aulus dit en riant :

– « Calme-toi, je te protège ! »

Le Proconsul feignit de n'avoir pas entendu. La fortune du père dépendait de la souillure du fils ; et cette fleur des fanges de Caprée[2] lui procurait des bénéfices tellement considérables, qu'il l'entourait d'égards, tout en se méfiant, parce qu'elle était vénéneuse.

Un tumulte s'éleva sous la porte. On introduisait une file de mules blanches, montées par des personnages en costume de prêtres. C'étaient des Sadducéens[3] et des Pharisiens[4], que la même ambition poussait à Machærous, les premiers voulant obtenir la sacrificature[5], et les autres la conserver. Leurs visages étaient sombres, ceux des Pharisiens surtout, ennemis de Rome et du Tétrarque. Les pans de leur tunique les embarrassaient dans la cohue ; et leur tiare[6] chancelait à leur front par-dessus des bandelettes de parchemin, où des écritures étaient tracées[7].

Presque en même temps, arrivèrent des soldats de l'avant-garde. Ils avaient mis leurs boucliers dans des sacs, par précau-

1. *Il avait tiré* [...] *la nouvelle :* Vitellius était parvenu à un accord avantageux avec Artabane, le roi des Parthes, lequel s'était engagé à rendre des otages le premier. \ **2.** *Fleur des fanges de Caprée :* allusion aux débauches de Tibère à Caprée (île de Capri, près de Naples), débauches auxquelles Aulus Vitellius avait pris part dans son enfance ; ce dernier est comparé pour cette raison à une fleur poussée sur de la fange, de la vase souillée. \ **3.** *Sadducéens :* parti religieux juif qui recrutait parmi les aristocrates riches, collaborait avec les Romains, prônait une fidélité absolue à la lettre de la Torah et joua un rôle important dans la condamnation de Jésus-Christ et la persécution des premiers chrétiens. \ **4.** *Pharisiens :* opposés aux Sadducéens, les Pharisiens étaient très attachés aux traditions religieuses et admettaient l'enrichissement du culte par la Loi orale (le Talmud). \ **5.** *La sacrificature :* la fonction de Grand Sacrificateur (prêtre chargé des sacrifices officiels) était dévolue au Grand Prêtre. \ **6.** *Tiare :* coiffure haute, conique, semblable à celle des Assyriens, portée par les dignitaires juifs ; celle du Grand Prêtre était de lin et cerclée d'une couronne bleue et or. \ **7** *Où des écritures étaient tracées* : les Pharisiens portaient des « phylactères » autour de la tête et au bras gauche, c'est-à-dire des rubans de parchemin portant des citations saintes ou des formules magiques.

380 tion contre la poussière; et derrière eux était Marcellus, lieutenant du Proconsul, avec des publicains[1], serrant sous leurs aisselles des tablettes de bois.

Antipas nomma les principaux de son entourage : Tolmaï, Kanthera, Séhon, Ammonius d'Alexandrie, qui lui achetait 385 de l'asphalte[2], Naâmann, capitaine de ses vélites[3], Iaçim le Babylonien.

Vitellius avait remarqué Mannaeï.

– « Celui-là, qu'est-ce donc ? »

Le Tétrarque fit comprendre, d'un geste, que c'était le 390 bourreau.

Puis, il présenta les Sadducéens.

Jonathas, un petit homme libre d'allures et parlant grec, supplia le maître de les honorer d'une visite à Jérusalem. Il s'y rendrait probablement.

395 Éléazar, le nez crochu et la barbe longue, réclama pour les Pharisiens le manteau du grand prêtre détenu dans la tour Antonia par l'autorité civile.

Ensuite, les Galiléens dénoncèrent Ponce Pilate[4]. À l'occasion d'un fou qui cherchait les vases d'or de David dans une 400 caverne, près de Samarie, il avait tué des habitants; et tous parlaient à la fois, Mannaeï plus violemment que les autres. Vitellius affirma que les criminels seraient punis.

Des vociférations éclatèrent en face d'un portique, où les soldats avaient suspendu leurs boucliers. Les housses étant 405 défaites, on voyait sur les *umbo*[5] la figure de César. C'était pour

---

1. *Publicains :* fonctionnaires romains qui percevaient l'impôt; leur sévérité les avait rendu détestables; ils tenaient leurs comptes sur des tablettes de bois recouvertes de cire. \ **2.** *Asphalte :* mélange noirâtre naturel de calcaire, de silice et de bitume tiré de la mer Morte. \ **3.** *Vélites :* fantassins légèrement armés. \ **4.** *Ponce Pilate :* procurateur romain de la Judée (de 26 à 36? après J.-C.); habitué des répressions sanglantes, Ponce Pilate livra Jésus aux Juifs qui voulaient sa mort en se lavant symboliquement les mains. \ **5.** *Umbo :* bosse centrale du bouclier des Romains; elle porte souvent des ornements gravés, voire, comme ici, l'effigie de l'empereur.

les Juifs une idolâtrie[1]. Antipas les harangua[2], pendant que Vitellius, dans la colonnade, sur un siège élevé, s'étonnait de leur fureur. Tibère avait eu raison d'en exiler quatre cents en Sardaigne. Mais chez eux ils étaient forts ; et il commanda de
410 retirer les boucliers.

Alors, ils entourèrent le Proconsul, en implorant des réparations d'injustice, des privilèges, des aumônes. Les vêtements étaient déchirés, on s'écrasait ; et, pour faire de la place, des esclaves avec des bâtons frappaient de droite et de gauche. Les
415 plus voisins de la porte descendirent sur le sentier, d'autres le montaient ; ils refluèrent ; deux courants se croisaient dans cette masse d'hommes qui oscillait, comprimée par l'enceinte des murs.

Vitellius demanda pourquoi tant de monde. Antipas en dit
420 la cause : le festin de son anniversaire ; et il montra plusieurs de ses gens, qui, penchés sur les créneaux, halaient[3] d'immenses corbeilles de viandes, de fruits, de légumes, des antilopes et des cigognes, de larges poissons couleur d'azur, des raisins, des pastèques, des grenades élevées en pyramides.
425 Aulus n'y tint pas. Il se précipita vers les cuisines, emporté par cette goinfrerie qui devait surprendre l'univers[4].

En passant près d'un caveau, il aperçut des marmites pareilles à des cuirasses. Vitellius vint les regarder ; et exigea qu'on lui ouvrît les chambres souterraines de la forteresse[5].
430 Elles étaient taillées dans le roc en hautes voûtes, avec des piliers de distance en distance. La première contenait de vieilles armures ; mais la seconde regorgeait de piques, et qui

---

1. *Idolâtrie :* qui consiste à adorer des images ; non seulement la personne de l'empereur est divinisée mais son image est également l'objet d'un culte. \ **2.** *Les harangua :* leur fit des reproches. \ **3.** *Halaient :* tiraient, hissaient. \ **4.** *Goinfrerie* [...] *univers :* Suétone rapporte les orgies alimentaires d'Aulus dans *Histoire des douze Césars.* \ **5.** *Il aperçut des marmites* [...] *de la forteresse :* la vue des marmites réalisées par assemblage de pièces de métal fait penser à Vitellius, par association d'idées, qu'Antipas pourrait bien cacher aussi des armes ; ce dernier est en effet soupçonné de préparer la guerre contre Rome.

allongeaient toutes leurs pointes, émergeant d'un bouquet de plumes. La troisième semblait tapissée en nattes de roseaux, 435 tant les flèches minces étaient perpendiculairement les unes à côté des autres. Des lames de cimeterres[1] couvraient les parois de la quatrième. Au milieu de la cinquième, des rangs de casques faisaient, avec leurs crêtes, comme un bataillon de serpents rouges. On ne voyait dans la sixième que des 440 carquois ; dans la septième, que des cnémides[2] ; dans la huitième, que des brassards[3] ; dans les suivantes, des fourches[4], des grappins, des échelles, des cordages[5], jusqu'à des mâts pour les catapultes[6], jusqu'à des grelots pour le poitrail des dromadaires[7] ! et comme la montagne allait en 445 s'élargissant vers sa base, évidée à l'intérieur telle qu'une ruche d'abeilles, au-dessous de ces chambres il y en avait de plus nombreuses, et d'encore plus profondes.

Vitellius, Phinées son interprète, et Sisenna le chef des publicains, les parcouraient à la lumière des flambeaux, que 450 portaient trois eunuques.

On distinguait dans l'ombre des choses hideuses inventées par les barbares : casse-tête garnis de clous, javelots empoisonnant les blessures, tenailles qui ressemblaient à des mâchoires de crocodile ; enfin le Tétrarque possédait dans Machærous des 455 munitions de guerre pour quarante mille hommes.

Il les avait rassemblées en prévision d'une alliance de ses ennemis. Mais le Proconsul pouvait croire, ou dire, que c'était pour combattre les Romains, et il cherchait des explications.

Elles n'étaient pas à lui ; beaucoup servaient à se défendre des

---

1. *Cimeterres :* sabres courts, larges et incurvés. \ **2.** *Cnémides :* jambières des soldats. \ **3.** *Brassards :* pièces de cuir ou de métal protégeant les bras. \ **4.** *Fourches :* instruments pour renverser l'échelle des assiégeants. \ **5.** *Des grappins, des échelles, des cordages :* ils servent aux assiégeants à gravir une muraille. \ **6.** *Catapultes :* machines à lancer des projectiles lourds. \ **7.** *Dromadaires :* animaux répandus au Moyen-Orient et servant au transport.

460 brigands ; d'ailleurs il en fallait contre les Arabes ; ou bien, tout cela avait appartenu à son père. Et, au lieu de marcher derrière le Proconsul, il allait devant, à pas rapides. Puis il se rangea le long du mur, qu'il masquait de sa toge, avec ses deux coudes écartés ; mais le haut d'une porte dépassait sa tête. Vitellius la 465 remarqua, et voulut savoir ce qu'elle enfermait.

Le Babylonien pouvait seul l'ouvrir.

– « Appelle le Babylonien ! »

On l'attendit.

Son père était venu des bords de l'Euphrate[1] s'offrir au grand 470 Hérode, avec cinq cents cavaliers, pour défendre les frontières orientales. Après le partage du royaume, Iaçim était demeuré chez Philippe, et maintenant servait Antipas.

Il se présenta, un arc sur l'épaule, un fouet à la main. Des cordons multicolores serraient étroitement ses jambes torses. 475 Ses gros bras sortaient d'une tunique sans manches, et un bonnet de fourrure ombrageait sa mine, dont la barbe était frisée en anneaux.

D'abord, il eut l'air de ne pas comprendre l'interprète. Mais Vitellius lança un coup d'œil à Antipas, qui répéta tout de suite 480 son commandement. Alors Iaçim appliqua ses deux mains contre la porte. Elle glissa dans le mur.

Un souffle d'air chaud s'exhala des ténèbres. Une allée descendait en tournant ; ils la prirent et arrivèrent au seuil d'une grotte, plus étendue que les autres souterrains.

485 Une arcade s'ouvrait au fond sur le précipice, qui de ce côté-là défendait la citadelle. Un chèvrefeuille, se cramponnant à la voûte, laissait retomber ses fleurs en pleine lumière. À ras du sol, un filet d'eau murmurait.

---

1. *L'Euphrate :* l'Euphrate et le Tigre délimitent la Mésopotamie ; ce sont les deux grands fleuves de la corne est du « Croissant fertile », ils se jettent dans le golfe Persique ; l'Euphrate arrose Babylone.

Des chevaux blancs étaient là, une centaine peut-être, et qui
490 mangeaient de l'orge sur une planche au niveau de leur bouche. Ils avaient tous la crinière peinte en bleu, les sabots dans des mitaines[1] de sparterie[2] et les poils d'entre les oreilles bouffant sur le frontal[3], comme une perruque. Avec leur queue très longue, ils se battaient mollement les jarrets. Le Proconsul en
495 resta muet d'admiration.

C'étaient de merveilleuses bêtes, souples comme des serpents, légères comme des oiseaux. Elles partaient avec la flèche du cavalier, renversaient les hommes en les mordant au ventre, se tiraient de l'embarras des rochers, sautaient par-
500 dessus des abîmes, et pendant tout un jour continuaient dans les plaines leur galop frénétique ; un mot les arrêtait. Dès que Iaçim entra, elles vinrent à lui, comme des moutons quand paraît le berger ; et, avançant leur encolure, elles le regardaient inquiètes avec leurs yeux d'enfant. Par habitude, il lança du
505 fond de sa gorge un cri rauque qui les mit en gaieté ; et elles se cabraient, affamées d'espace, demandant à courir.

Antipas, de peur que Vitellius ne les enlevât, les avait emprisonnées dans cet endroit, spécial pour les animaux, en cas de siège.

– « L'écurie est mauvaise », dit le Proconsul, « et tu risques
510 de les perdre ! Fais l'inventaire, Sisenna ! »

Le publicain retira une tablette de sa ceinture, compta les chevaux et les inscrivit.

Les agents des compagnies fiscales corrompaient les gouverneurs, pour piller les provinces. Celui-là flairait partout, avec
515 sa mâchoire de fouine et ses paupières clignotantes.

Enfin, on remonta dans la cour.

Des rondelles de bronze au milieu des pavés, çà et là, couvraient les citernes. Il en observa une, plus grande que les

---

1. *Mitaines :* ici chaussons. \ **2.** *Sparterie :* objet fabriqué en fibres végétales. \ **3.** *Frontal :* partie du harnachement du cheval placée sur son front.

autres, et qui n'avait pas sous les talons leur sonorité. Il les
520 frappa toutes alternativement, puis hurla, en piétinant :

– « Je l'ai ! je l'ai ! C'est ici le trésor d'Hérode ! »

La recherche de ses trésors était une folie des Romains.

Ils n'existaient pas, jura le Tétrarque.

Cependant, qu'y avait-il là-dessous ?

525 – « Rien ! un homme, un prisonnier. »

– « Montre-le ! » dit Vitellius.

Le Tétrarque n'obéit pas ; les Juifs auraient connu son secret. Sa répugnance à ouvrir la rondelle impatientait Vitellius.

– « Enfoncez-la ! » cria-t-il aux licteurs.

530 Mannaeï avait deviné ce qui les occupait. Il crut, en voyant une hache, qu'on allait décapiter Iaokanann ; et il arrêta le licteur au premier coup sur la plaque, insinua entre elle et les pavés une manière de crochet, puis, roidissant ses longs bras maigres, la souleva doucement, elle s'abattit ; tous admirèrent
535 la force de ce vieillard. Sous le couvercle doublé de bois, s'étendait une trappe de même dimension. D'un coup de poing, elle se replia en deux panneaux ; on vit alors un trou, une fosse énorme que contournait un escalier sans rampe ; et ceux qui se penchèrent sur le bord aperçurent au fond quelque chose de
540 vague et d'effrayant.

Un être humain était couché par terre sous de longs cheveux se confondant avec les poils de bête qui garnissaient son dos. Il se leva. Son front touchait à une grille horizontalement scellée ; et, de temps à autre, il disparaissait dans les profon-
545 deurs de son antre.

Le soleil faisait briller la pointe des tiares, le pommeau des glaives, chauffait à outrance les dalles ; et des colombes, s'envolant des frises[1], tournoyaient au-dessus de la cour. C'était l'heure

1. *Frises :* en architecture, éléments décoratifs de l'entablement, entre les chapiteaux et la corniche.

où Mannaeï, ordinairement, leur jetait du grain. Il se tenait
550 accroupi devant le Tétrarque, qui était debout près de Vitellius.
Les Galiléens, les prêtres, les soldats, formaient un cercle par-derrière ; tous se taisaient, dans l'angoisse de ce qui allait arriver.

Ce fut d'abord un grand soupir, poussé d'une voix caverneuse.

555 Hérodias l'entendit à l'autre bout du palais. Vaincue par une fascination, elle traversa la foule ; et elle écoutait, une main sur l'épaule de Mannaeï, le corps incliné.

La voix s'éleva :

– « Malheur à vous, Pharisiens et Sadducéens, race de
560 vipères, outres gonflées, cymbales retentissantes ! »

On avait reconnu Iaokanann. Son nom circulait. D'autres accoururent.

« Malheur à toi, ô peuple ! et aux traîtres de Juda, aux ivrognes d'Ephraïm[1], à ceux qui habitent la vallée grasse, et
565 que les vapeurs du vin font chanceler !

« Qu'ils se dissipent comme l'eau qui s'écoule, comme la limace qui se fond en marchant, comme l'avorton d'une femme qui ne voit pas le soleil.

« Il faudra, Moab[2], te réfugier dans les cyprès comme les
570 passereaux, dans les cavernes comme les gerboises[3]. Les portes des forteresses seront plus vite brisées que des écailles de noix, les murs crouleront, les villes brûleront ; et le fléau de l'Éternel ne s'arrêtera pas. Il retournera vos membres dans votre sang, comme de la laine dans la cuve d'un teinturier. Il vous déchi-
575 rera comme une herse neuve ; il répandra sur les montagnes tous les morceaux de votre chair ! »

---

1. *Ephraïm :* une des douze tribus d'Israël, du nom du second fils de Joseph (Manassé étant l'aîné). \ **2.** *Moab :* peuple sémite des Moabites qui habite à l'est de la mer Morte et qui tire son nom du fils de Loth ; ce dernier s'était en effet uni à l'aînée de ses filles, laquelle donna naissance à un fils nommé Moab. \ **3.** *Gerboises :* petits rongeurs des régions désertiques.

De quel conquérant parlait-il ? Était-ce de Vitellius ?

Les Romains seuls pouvaient produire cette extermination. Des plaintes s'échappaient : – « Assez ! assez ! qu'il finisse ! »

580 Il continua, plus haut :

– « Auprès du cadavre de leurs mères, les petits enfants se traîneront sur les cendres. On ira, la nuit, chercher son pain à travers les décombres, au hasard des épées. Les chacals s'arracheront des ossements sur les places publiques, où le soir les 585 vieillards causaient. Tes vierges, en avalant leurs pleurs, joueront de la cithare[1] dans les festins de l'étranger, et tes fils les plus braves baisseront leur échine, écorchée par des fardeaux trop lourds ! »

Le peuple revoyait les jours de son exil, toutes les catas- 590 trophes de son histoire. C'étaient les paroles des anciens prophètes. Iaokanann les envoyait, comme de grands coups, l'une après l'autre.

Mais la voix se fit douce, harmonieuse, chantante. Il annonçait un affranchissement, des splendeurs au ciel, le nouveau-né 595 un bras dans la caverne du dragon, l'or à la place de l'argile, le désert s'épanouissant comme une rose : – « Ce qui maintenant vaut soixante kiccars[2] ne coûtera pas une obole[3]. Des fontaines de lait jailliront des rochers ; on s'endormira dans les pressoirs le ventre plein ! Quand viendras-tu, toi que j'espère ? D'avance, 600 tous les peuples s'agenouillent, et ta domination sera éternelle, Fils de David[4] ! »

Le Tétrarque se rejeta en arrière, l'existence d'un Fils de David l'outrageant comme une menace.

Iaokanann l'invectiva pour sa royauté. – « Il n'y a pas d'autre 605 roi que l'Éternel ! et pour ses jardins, pour ses statues, pour ses meubles d'ivoire, comme l'impie Achab ! »

1. *Cithare :* instrument de musique à cordes. \ **2.** *Kiccars :* pièces d'or. \ **3.** *Obole :* monnaie de faible valeur. \ **4.** *Fils de David :* le Messie attendu par les Juifs.

Antipas brisa la cordelette du cachet suspendu à sa poitrine, et le lança dans la fosse, en lui commandant de se taire.

La voix répondit :

610 – « Je crierai comme un ours, comme un âne sauvage, comme une femme qui enfante !

« Le châtiment est déjà dans ton inceste. Dieu t'afflige de la stérilité du mulet ! »

Et des rires s'élevèrent, pareils au clapotement des flots.

615 Vitellius s'obstinait à rester. L'interprète, d'un ton impassible, redisait, dans la langue des Romains, toutes les injures que Iaokanann rugissait dans la sienne. Le Tétrarque et Hérodias étaient forcés de les subir deux fois. Il haletait, pendant qu'elle observait béante le fond du puits.

620 L'homme effroyable se renversa la tête ; et, empoignant les barreaux, y colla son visage, qui avait l'air d'une broussaille, où étincelaient deux charbons :

– « Ah ! c'est toi, Iézabel [1] !

« Tu as pris son cœur avec le craquement de ta chaussure. Tu 625 hennissais comme une cavale [2]. Tu as dressé ta couche sur les monts, pour accomplir tes sacrifices !

« Le seigneur arrachera tes pendants d'oreilles, tes robes de pourpre, tes voiles de lin, les anneaux de tes bras, les bagues de tes pieds, et les petits croissants d'or qui tremblent sur ton 630 front, tes miroirs d'argent, tes éventails en plumes d'autruche, les patins de nacre qui haussent ta taille, l'orgueil de tes diamants, les senteurs de tes cheveux, la peinture de tes ongles, tous les artifices de ta mollesse ; et les cailloux manqueront pour lapider l'adultère ! »

635 Elle chercha du regard une défense autour d'elle. Les Pharisiens baissaient hypocritement leurs yeux. Les Sadducéens

1. *Iézabel* (ou Jézabel) : princesse tyrienne qui s'était détournée de Yahwé, le Dieu d'Israël, pour idolâtrer Baal, épouse d'Achab (roi d'Israël vers 873 – vers 853 av. J.-C.) et mère d'Athalie. \ **2.** *Cavale :* jument de race.

tournaient la tête, craignant d'offenser le Proconsul. Antipas paraissait mourir.

La voix grossissait, se développait, roulait avec des déchirements de tonnerre, et, l'écho dans la montagne la répétant, elle foudroyait Machærous d'éclats multipliés.

– « Étale-toi dans la poussière, fille de Babylone[1]! Fais moudre de la farine ! Ôte ta ceinture, détache ton soulier, trousse-toi, passe les fleuves ! ta honte sera découverte, ton opprobre[2] sera vu ! tes sanglots te briseront les dents ! L'Éternel exècre la puanteur de tes crimes ! Maudite ! maudite ! Crève comme une chienne ! »

La trappe se ferma, le couvercle se rabattit. Mannaeï voulait étrangler Iaokanann.

Hérodias disparut. Les Pharisiens étaient scandalisés. Antipas, au milieu d'eux, se justifiait.

– « Sans doute », reprit Éléazar, « il faut épouser la femme de son frère, mais Hérodias n'était pas veuve, et de plus elle avait un enfant, ce qui constituait l'abomination. »

– « Erreur ! erreur ! » objecta le Sadducéen Jonathas. « La Loi condamne ces mariages, sans les proscrire absolument. »

– « N'importe ! On est pour moi bien injuste ! » disait Antipas, « car, enfin, Absalon[3] a couché avec les femmes de son père, Juda avec sa bru, Amnon[4] avec sa sœur, Loth avec ses filles. »

Aulus, qui venait de dormir, reparut à ce moment-là. Quand il fut instruit de l'affaire, il approuva le Tétrarque. On ne devait point se gêner pour de pareilles sottises ; et il riait beaucoup du blâme des prêtres, et de la fureur de Iaokanann.

Hérodias, au milieu du perron, se retourna vers lui.

---

1. *Fille de Babylone :* prostituée. \ **2.** *Opprobre :* honte, déshonneur. \ **3.** *Absalon :* fils de David, il fit tuer son demi-frère Amnon. \ **4.** *Amnon* (ou Ammon) : fils de Loth et de la fille cadette de ce dernier.

– « Tu as tort, mon maître ! Il ordonne au peuple de refuser l'impôt. »

– « Est-ce vrai ? » demanda tout de suite le Publicain.

Les réponses furent généralement affirmatives. Le
670 Tétrarque les renforçait.

Vitellius songea que le prisonnier pouvait s'enfuir ; et comme la conduite d'Antipas lui semblait douteuse, il établit des sentinelles aux portes, le long des murs et dans la cour.

Ensuite, il alla vers son appartement. Les députations [1] des
675 prêtres l'accompagnèrent.

Sans aborder la question de la sacrificature, chacune émettait ses griefs.

Tous l'obsédaient. Il les congédia.

Jonathas le quittait, quand il aperçut, dans un créneau,
680 Antipas causant avec un homme à longs cheveux et en robe blanche, un Essénien ; et il regretta de l'avoir soutenu.

Une réflexion avait consolé le Tétrarque. Iaokanann ne dépendait plus de lui ; les Romains s'en chargeaient. Quel soulagement ! Phanuel se promenait alors sur le chemin de
685 ronde.

Il l'appela et, désignant les soldats :

– « Ils sont les plus forts ! je ne peux le délivrer ! ce n'est pas ma faute ! »

La cour était vide. Les esclaves se reposaient. Sur la rougeur
690 du ciel, qui enflammait l'horizon, les moindres objets perpendiculaires se détachaient en noir. Antipas distingua les salines à l'autre bout de la mer Morte, et ne voyait plus les tentes des Arabes. Sans doute ils étaient partis ? La lune se levait ; un apaisement descendait dans son cœur.

695 Phanuel, accablé, restait le menton sur la poitrine. Enfin, il révéla ce qu'il avait à dire.

1. *Députations* : délégations.

Depuis le commencement du mois, il étudiait le ciel avant l'aube, la constellation de Persée se trouvant au zénith. Agalah se montrait à peine, Algol[1] brillait moins, Mira-Cœti avait
700 disparu ; d'où il augurait la mort d'un homme considérable, cette nuit même, dans Machærous.

Lequel ? Vitellius était trop bien entouré. On n'exécuterait pas Iaokanann. « C'est donc moi ! » pensa le Tétrarque.

Peut-être que les Arabes allaient revenir ? Le Proconsul
705 découvrirait ses relations avec les Parthes ! Des sicaires[2] de Jérusalem escortaient les prêtres ; ils avaient sous leurs vêtements des poignards ; et le Tétrarque ne doutait pas de la science de Phanuel.

Il eut l'idée de recourir à Hérodias. Il la haïssait pourtant.
710 Mais elle lui donnerait du courage ; et tous les liens n'étaient pas rompus de l'ensorcellement qu'il avait autrefois subi.

Quand il entra dans sa chambre, du cinnamome[3] fumait sur une vasque de porphyre[4] ; et des poudres, des onguents, des étoffes pareilles à des nuages, des broderies plus légères que des
715 plumes, étaient dispersés.

Il ne dit pas la prédiction de Phanuel, ni sa peur des Juifs et des Arabes ; elle l'eût accusé d'être lâche. Il parla seulement des Romains ; Vitellius ne lui avait rien confié de ses projets militaires. Il le supposait ami de Caïus, que
720 fréquentait Agrippa ; et il serait envoyé en exil, ou peut-être on l'égorgerait.

Hérodias, avec une indulgence dédaigneuse, tâcha de le rassurer. Enfin, elle tira d'un petit coffre une médaille bizarre, ornée du profil de Tibère. Cela suffisait à faire pâlir les licteurs
725 et fondre les accusations.

1. *Agalah :* la Grande Ourse (mot hébreu) ; *Algol :* étoile de la constellation de Persée (mot arabe) ; renseignements fournis à Flaubert par son ami bibliothécaire érudit Frédéric Baudry. \ **2.** *Sicaires :* tueurs à gages. \ **3.** *Cinnamome :* arbrisseau aromatique (myrrhe, camphre ou cannelle). \ **4.** *Porphyre :* roche volcanique rouge.

Antipas, ému de reconnaissance, lui demanda comment elle l'avait.

– « On me l'a donnée », reprit-elle.

Sous une portière[1] en face, un bras nu s'avança, un bras 730 jeune, charmant et comme tourné dans l'ivoire par Polyclète[2]. D'une façon un peu gauche, et cependant gracieuse, il ramait dans l'air pour saisir une tunique oubliée sur une escabelle[3] près de la muraille.

Une vieille femme la passa doucement, en écartant le rideau.

735 Le Tétrarque eut un souvenir, qu'il ne pouvait préciser.

– « Cette esclave est-elle à toi ? »

– « Que t'importe ? » répondit Hérodias.

III

Les convives emplissaient la salle du festin.

Elle avait trois nefs, comme une basilique, et que séparaient 740 des colonnes en bois d'algumim[4], avec des chapiteaux de bronze couverts de sculptures. Deux galeries à claire-voie s'appuyaient dessus ; et une troisième en filigrane d'or se bombait au fond, vis-à-vis d'un cintre[5] énorme, qui s'ouvrait à l'autre bout.

745 Des candélabres, brûlant sur les tables alignées dans toute la longueur du vaisseau, faisaient des buissons de feux, entre les coupes de terre peinte et les plats de cuivre, les cubes de neige, les monceaux de raisin ; mais ces clartés rouges se

---

1. *Portière :* tenture qui ferme une ouverture. \ 2. *Polyclète :* célèbre sculpteur grec du Ve siècle avant Jésus-Christ ; il établit l'harmonie des proportions du corps humain. \ 3. *Escabelle :* petit escabeau. \ 4. *Algumim :* variété d'acacia (mot arabe). \ 5. *Cintre :* voûte, arcade.

perdaient progressivement, à cause de la hauteur du plafond,
750 et des points lumineux brillaient, comme des étoiles, la nuit, à travers des branches. Par l'ouverture de la grande baie, on apercevait des flambeaux sur les terrasses des maisons ; car Antipas fêtait ses amis, son peuple, et tous ceux qui s'étaient présentés.

755 Des esclaves, alertes comme des chiens et les orteils dans des sandales de feutre, circulaient, en portant des plateaux.

La table proconsulaire occupait, sous la tribune dorée, une estrade en planches de sycomore. Des tapis de Babylone l'enfermaient dans une espèce de pavillon.

760 Trois lits d'ivoire, un en face et deux sur les flancs, contenaient Vitellius, son fils et Antipas ; le Proconsul étant près de la porte, à gauche, Aulus à droite, le Tétrarque au milieu.

Il avait un lourd manteau noir, dont la trame disparaissait sous des applications de couleur, du fard aux pommettes, la barbe en 765 éventail, et de la poudre d'azur dans ses cheveux, serrés par un diadème de pierreries. Vitellius gardait son baudrier de pourpre, qui descendait en diagonale sur une toge de lin. Aulus s'était fait nouer dans le dos les manches de sa robe en soie violette, lamée d'argent. Les boudins de sa chevelure formaient des étages, et un 770 collier de saphirs[1] étincelait à sa poitrine, grasse et blanche comme celle d'une femme. Près de lui, sur une natte et jambes croisées, se tenait un enfant très beau, qui souriait toujours. Il l'avait vu dans les cuisines, ne pouvait plus s'en passer, et, ayant peine à retenir son nom chaldéen[2], l'appelait simplement : 775 « l'Asiatique ». De temps à autre, il s'étalait sur le triclinium[3]. Alors, ses pieds nus dominaient l'assemblée[4].

---

1. *Saphirs :* pierres précieuses bleues. \ **2.** *Chaldéen :* langue parlée en Chaldée (sud de la Mésopotamie). \ **3.** *Triclinium :* lit de table à trois places (Aulus est corpulent). \ **4.** *Ses pieds nus dominaient l'assemblée :* on mangeait pieds nus.

De ce côté-là, il y avait les prêtres et les officiers d'Antipas, des habitants de Jérusalem, les principaux des villes grecques; et, sous le Proconsul : Marcellus avec les Publicains, des amis
780 du Tétrarque, les personnages de Kana[1], Ptolémaïde[2], Jéricho[3]; puis, pêle-mêle, des montagnards du Liban, et les vieux soldats d'Hérode : douze Thraces[4], un Gaulois, deux Germains, des chasseurs de gazelles, des pâtres de l'Idumée[5], le sultan de Palmyre[6], des marins d'Éziongaber[7]. Chacun avait
785 devant soi une galette de pâte molle, pour s'essuyer les doigts; et les bras, s'allongeant comme des cous de vautour, prenaient des olives, des pistaches, des amandes. Toutes les figures étaient joyeuses, sous des couronnes de fleurs.

Les Pharisiens les avaient repoussées comme indécence
790 romaine. Ils frissonnèrent quand on les aspergea de galbanum[8] et d'encens, composition réservée aux usages du Temple.

Aulus en frotta son aisselle; et Antipas lui en promit tout un chargement, avec trois couffes[9] de ce véritable baume, qui avait fait convoiter la Palestine à Cléopâtre.

795 Un capitaine de sa garnison de Tibériade, survenu tout à l'heure, s'était placé derrière lui, pour l'entretenir d'événements extraordinaires[10]. Mais son attention était partagée entre le Proconsul et ce qu'on disait aux tables voisines.

On y causait de Iaokanann et des gens de son espèce; Simon
800 de Gittoï lavait les péchés avec du feu. Un certain Jésus...

– « Le pire de tous », s'écria Éléazar. « Quel infâme bateleur[11] ! »

---

1. *Kana* (ou Cana) : ville de Galilée. \ **2.** *Ptolémaïde* (Ptolémaïs, Saint-Jean d'Acre) : port phénicien. \ **3.** *Jéricho :* construite sur un affluent du Jourdain, la ville dont la Bible dit qu'elle aurait possédé des remparts est à 20 km au nord-est de Jérusalem. \ **4.** *Thraces :* habitants du nord de la Mésopotamie. \ **5.** *Idumée :* voir note 4, p. 101. \ **6** *Palmyre :* oasis et ville prestigieuse en plein désert de Syrie. \ **7.** *Éziongaber :* port du golfe d'Aqaba, au nord de la mer Rouge. \ **8.** *Galbanum :* gomme-résine aromatique tirée d'une ombellifère. \ **9.** *Couffes :* paniers. \ **10.** *Événements extraordinaires :* Jésus se trouvait à ce moment-là dans la région du lac de Tibériade. \ **11.** *Bateleur :* ici, prestidigitateur.

Derrière le Tétrarque, un homme se leva, pâle comme la bordure de sa chlamyde[1]. Il descendit l'estrade, et, interpellant les Pharisiens :

– « Mensonge ! Jésus fait des miracles ! »

Antipas désirait en voir.

– « Tu aurais dû l'amener ! Renseigne-nous ! »

Alors il conta que lui, Jacob, ayant une fille malade, s'était rendu à Capharnaüm, pour supplier le Maître de vouloir la guérir. Le Maître avait répondu : « Retourne chez toi, elle est guérie[2] ! » Et il l'avait trouvée sur le seuil, étant sortie de sa couche quand le gnomon[3] du palais marquait la troisième heure, l'instant même où il abordait Jésus.

Certainement, objectèrent les Pharisiens, il existait des pratiques, des herbes puissantes ! Ici même, à Machærous, quelquefois on trouvait le baaras[4] qui rend invulnérable ; mais guérir sans voir ni toucher était une chose impossible, à moins que Jésus n'employât les démons.

Et les amis d'Antipas, les principaux de la Galilée, reprirent, en hochant la tête :

– « Les démons, évidemment. »

Jacob, debout entre leur table et celle des prêtres, se taisait d'une manière hautaine et douce.

Ils le sommaient de parler : – « Justifie son pouvoir ! »

Il courba les épaules, et à voix basse, lentement, comme effrayé de lui-même :

– « Vous ne savez donc pas que c'est le Messie ? »

Tous les prêtres se regardèrent ; et Vitellius demanda l'explication du mot. Son interprète fut une minute avant de répondre.

---

1. *Chlamyde :* vêtement militaire d'origine grecque, léger et court, agrafé sur l'épaule. \ **2.** *Alors il conta* [...] *elle est guérie :* miracle raconté dans le Nouveau Testament (Matthieu VIII, 5-13 ; Luc VII, 1-10) avec quelques légères modifications. \ **3.** *Gnomon :* cadran solaire permettant l'estimation de l'heure d'après la longueur de l'ombre portée par une aiguille verticale. \ **4.** *Baaras :* plante réputée capable d'éloigner les mauvais esprits (on la disait invisible le jour et lumineuse la nuit).

Ils appelaient ainsi un libérateur qui leur apporterait la jouissance de tous les biens et la domination de tous les peuples. Quelques-uns même soutenaient qu'il fallait compter sur deux. Le premier serait vaincu par Gog et Magog[1], des
835 démons du Nord ; mais l'autre exterminerait le Prince du Mal ; et, depuis des siècles, ils l'attendaient à chaque minute.

Les prêtres s'étant concertés, Éléazar prit la parole.

D'abord le Messie serait enfant de David, et non d'un charpentier ; il confirmerait la Loi. Ce Nazaréen[2] l'attaquait ; et,
840 argument plus fort, il devait être précédé par la venue d'Élie[3].

Jacob répliqua :

« Mais il est venu, Élie ! »

– « Élie ! Élie ! » répéta la foule, jusqu'à l'autre bout de la salle.

Tous, par l'imagination, apercevaient un vieillard sous un
845 vol de corbeaux, la foudre allumant un autel, des pontifes[4] idolâtres jetés aux torrents ; et les femmes, dans les tribunes, songeaient à la veuve de Sarepta[5].

Jacob s'épuisait à redire qu'il le connaissait ! Il l'avait vu ! et le peuple aussi !

850 – « Son nom ? »

Alors, il cria de toutes ses forces :

– « Iaokanann ! »

Antipas se renversa comme frappé en pleine poitrine.

Les Sadducéens avaient bondi sur Jacob. Éléazar pérorait[6],
855 pour se faire écouter.

Quand le silence fut établi, il drapa son manteau, et comme un juge posa des questions.

---

1. *Gog et Magog :* esprits du mal, ennemis de Yahwé et d'Israël. \ **2.** *Ce Nazaréen :* Jésus de Nazareth. \ **3.** *Élie :* le plus grand des prophètes juifs (IXe siècle avant J.-C.), dont le retour était censé annoncer la venue du Messie, mis à mort par Jézabel. \ **4.** *Pontifes :* prêtres. \ **5.** *La veuve de Sarepta :* allusion aux miracles d'Élie : retiré dans le désert, des corbeaux lui avaient apporté à manger; chez une veuve, à Sarepta (ville phénicienne), il multiplia la farine et l'huile puis ramena son fils à la vie (*Rois* I, XVII, 8-24). \ **6.** *Pérorait :* discourait de manière prétentieuse.

– « Puisque le prophète est mort... »

Des murmures l'interrompirent. On croyait Élie disparu
860 seulement[1].

Il s'emporta contre la foule, et, continuant son enquête :

– « Tu penses qu'il est ressuscité ? »

– « Pourquoi pas ? » dit Jacob.

Les Sadducéens haussèrent les épaules ; Jonathas, écar-
865 quillant ses petits yeux, s'efforçait de rire comme un bouffon. Rien de plus sot que la prétention du corps à la vie éternelle ; et il déclama, pour le Proconsul, ce vers d'un poète contemporain :

Nec crescit, nec post mortem durare videtur[2].

870 Mais Aulus était penché au bord du triclinium, le front en sueur, le visage vert, les poings sur l'estomac.

Les Sadducéens feignirent un grand émoi ; – le lendemain, la sacrificature leur fut rendue ; – Antipas étalait du désespoir ; Vitellius demeurait impassible. Ses angoisses étaient pourtant
875 violentes ; avec son fils il perdait sa fortune.

Aulus n'avait pas fini de se faire vomir, qu'il voulut remanger.

– « Qu'on me donne de la râpure de marbre, du schiste de Naxos[3], de l'eau de mer, n'importe quoi ! Si je prenais un
880 bain ? »

Il croqua de la neige[4], puis, ayant balancé entre une terrine de Commagène[5] et des merles roses, se décida pour des courges au miel. L'Asiatique le contemplait, cette faculté d'engloutissement dénotant un être prodigieux et d'une race
885 supérieure.

1. *On croyait Élie disparu seulement :* selon la légende, Élie n'était pas mort, mais emporté tout vivant au ciel sur un char de feu. \ 2. *Nec crescit, nec post mortem durare videtur* : [En outre, jamais, de lui-même, le corps ne naît] « ne croît ni ne se conserve manifestement pas après la mort » (Lucrèce, *De Natura rerum*, III, v. 338). \ 3. *Naxos :* île des Cyclades. \ 4. *Il croqua de la neige :* on faisait venir de la neige des montagnes pour préparer des rafraîchissements. \ 5. *Terrine de Commagène :* gâteau de graisse fondue recouvert de neige.

On servit des rognons de taureau, des loirs, des rossignols, des hachis dans des feuilles de pampre ; et les prêtres discutaient sur la résurrection. Ammonius, élève de Philon le Platonicien[1], les jugeait stupides, et le disait à des Grecs qui se moquaient des oracles[2]. Marcellus et Jacob s'étaient joints. Le premier narrait au second le bonheur qu'il avait ressenti sous le baptême de Mithra[3], et Jacob l'engageait à suivre Jésus. Les vins de palme et de tamaris, ceux de Safet et de Byblos[4], coulaient des amphores[5] dans les cratères[6], des cratères dans les coupes, des coupes dans les gosiers ; on bavardait, les cœurs s'épanchaient. Iaçim, bien que Juif, ne cachait plus son adoration des planètes[7]. Un marchand d'Aphaka[8] ébahissait des nomades, en détaillant les merveilles du temple d'Hiérapolis[9] ; et ils demandaient combien coûterait le pèlerinage. D'autres tenaient à leur religion natale. Un Germain presque aveugle chantait un hymne célébrant ce promontoire de la Scandinavie, où les dieux apparaissent avec les rayons de leurs figures ; et des gens de Sichem[10] ne mangèrent pas de tourterelles, par déférence pour la colombe Azima[11].

Plusieurs causaient debout, au milieu de la salle ; et la vapeur des haleines avec les fumées des candélabres faisaient un brouillard dans l'air. Phanuel passa le long des murs. Il venait encore d'étudier le firmament, mais n'avançait pas jusqu'au

1. *Philon le platonicien :* philosophe juif d'Alexandrie (vers 13-54), dont l'œuvre annonce le néoplatonisme chrétien. \ **2.** *Oracles :* prophéties annoncées aux hommes venus s'enquérir de la volonté des dieux dans certains sanctuaires. \ **3.** *Mithra :* dieu solaire d'origine perse, très en faveur chez les soldats romains ; on lui sacrifiait souvent un taureau. \ **4.** *Byblos :* port phénicien (aujourd'hui Djebail). \ **5.** *Amphores :* grands vases de terre à deux anses, à fond étroit. \ **6.** *Cratères :* petits vases en forme de coupes, où on mêlait l'eau et le vin. \ **7.** *Iaçim […] planètes :* Iaçim est babylonien (chaldéen) et l'astrologie est une science d'origine chaldéenne ; Babylone, c'est aussi un lieu qui rappelle la déportation de nombreux Juifs (voir note 2, p. 102). \ **8.** *Aphaka :* ville de Syrie. \ **9.** *Hiérapolis :* ville de Phrygie, au nord de Laodicée, un des centres où se rendait le culte de Cybèle, déesse de la fertilité (Turquie actuelle, à 150 km de la mer Égée). \ **10.** *Sichem :* ville de Samarie. \ **11.** *La colombe Azima :* les Samaritains auraient rendu les honneurs divins à une colombe nommée Achima sur le mont Garizim.

Tétrarque, redoutant les taches d'huile qui, pour les Esséniens,
910 étaient une grande souillure.

Des coups retentirent contre la porte du château.

On savait maintenant que Iaokanann s'y trouvait détenu. Des hommes avec des torches grimpaient le sentier; une masse noire fourmillait dans le ravin; et ils hurlaient de temps à
915 autre : – « Iaokanann ! Iaokanann ! »

– « Il dérange tout ! » dit Jonathas.

– « On n'aura plus d'argent, s'il continue ! » ajoutèrent les Pharisiens.

Et des récriminations partaient :

920 – « Protège-nous ! »

– « Qu'on en finisse ! »

– « Tu abandonnes la religion ! »

– « Impie comme les Hérode ! »

– « Moins que vous ! » répliqua Antipas. « C'est mon père
925 qui a édifié votre temple ! »

Alors, les Pharisiens, les fils des proscrits, les partisans des Matathias[1] accusèrent le Tétrarque des crimes de sa famille.

Ils avaient des crânes pointus, la barbe hérissée, des mains
930 faibles et méchantes, ou la face camuse[2], de gros yeux ronds, l'air de bouledogues. Une douzaine, scribes[3] et valets des prêtres, nourris par le rebut des holocaustes[4], s'élancèrent jusqu'au bas de l'estrade; et avec des couteaux ils menaçaient Antipas, qui les haranguait, pendant que les Sadducéens le
935 défendaient mollement. Il aperçut Mannaeï[5], et lui fit signe de s'en aller, Vitellius indiquant par sa contenance que ces choses ne le regardaient pas.

---

1. *Matathias :* la résistance à l'occupation romaine de Matathias, dit Antigone, et de ses fils est célèbre; Hérode le Grand le fit brûler vif. \ **2.** *Camuse :* au nez aplati. \ **3.** *Scribes :* secrétaires. \ **4.** *Holocaustes :* sacrifices religieux qui consistaient à consumer la victime (en général un bélier) par le feu. \ **5.** Mannaeï attend pour exécuter Jean.

Les Pharisiens, restés sur leur triclinium, se mirent dans une fureur démoniaque. Ils brisèrent les plats devant eux. On leur
940 avait servi le ragoût chéri de Mécène[1], de l'âne sauvage, une viande immonde[2].

Aulus les railla à propos de la tête d'âne, qu'ils honoraient, disait-on, et débita d'autres sarcasmes[3] sur leur antipathie du pourceau. C'était sans doute parce que cette grosse bête avait
945 tué leur Bacchus[4]; et ils aimaient trop le vin, puisqu'on avait découvert dans le Temple une vigne d'or.

Les prêtres ne comprenaient pas ses paroles. Phinées, Galiléen d'origine, refusa de les traduire. Alors sa colère fut démesurée, d'autant plus que l'Asiatique, pris de peur, avait disparu;
950 et le repas lui déplaisait, les mets étaient vulgaires, point déguisés suffisamment! Il se calma en voyant des queues de brebis syriennes, qui sont des paquets de graisse.

Le caractère des Juifs semblait hideux à Vitellius. Leur Dieu pouvait bien être Moloch[5], dont il avait rencontré des autels
955 sur la route; et les sacrifices d'enfants lui revinrent à l'esprit, avec l'histoire de l'homme qu'ils engraissaient mystérieusement. Son cœur de Latin était soulevé de dégoût par leur intolérance, leur rage iconoclaste[6], leur achoppement[7] de brute. Le Proconsul voulait partir. Aulus s'y refusa.

960 La robe abaissée jusqu'aux hanches, il gisait derrière un monceau de victuailles, trop repu pour en prendre, mais s'obstinant à ne point les quitter.

L'exaltation du peuple grandit. Ils s'abandonnèrent à des

1. *Mécène :* ministre de l'empereur Auguste (vers 69 av. J.-C. – 8 apr. J.-C.), gastronome, poète, lettré, protecteur des arts (d'où le nom commun actuel « mécène » pour désigner une personne riche et généreuse aidant les artistes et les écrivains). \ **2.** *Viande immonde :* nourriture impure. \ **3.** *Sarcasmes :* railleries insultantes. \ **4.** *Bacchus :* dieu romain correspondant à Dionysos, dieu de l'énergie non maîtrisée, du vin. \ **5.** *Moloch :* dieu phénicien redoutable d'origine très ancienne et pour lequel étaient pratiqués des sacrifices humains. \ **6.** *Leur rage iconoclaste :* leur opposition farouche à l'adoration des images saintes. \ **7.** *Achoppement :* obstination, entêtement.

projets d'indépendance. On rappelait la gloire d'Israël. Tous les conquérants avaient été châtiés : Antigone[1], Crassus[2], Varus[3]...

– « Misérables ! » dit le Proconsul ; car il entendait le syriaque[4] ; son interprète ne servait qu'à lui donner du loisir pour répondre.

Antipas, bien vite, tira la médaille de l'Empereur, et, l'observant avec tremblement, il la présentait du côté de l'image.

Les panneaux de la tribune d'or se déployèrent tout à coup ; et à la splendeur des cierges, entre ses esclaves et des festons d'anémone, Hérodias apparut, – coiffée d'une mitre assyrienne qu'une mentonnière attachait à son front ; ses cheveux en spirales s'épandaient sur un péplos[5] d'écarlate, fendu dans la longueur des manches. Deux monstres en pierre, pareils à ceux du trésor des Atrides[6], se dressant contre la porte, elle ressemblait à Cybèle accotée de ses lions ; et du haut de la balustrade qui dominait Antipas, avec une patère[7] à la main, elle cria :

– « Longue vie à César ! »

Cet hommage fut répété par Vitellius, Antipas et les prêtres.

Mais il arriva du fond de la salle un bourdonnement de surprise et d'admiration. Une jeune fille venait d'entrer.

Sous un voile bleuâtre lui cachant la poitrine et la tête, on distinguait les arcs de ses yeux, les calcédoines[8] de ses oreilles, la blancheur de sa peau. Un carré de soie gorge-de-pigeon[9], en couvrant les épaules, tenait aux reins par une ceinture d'orfè-

1. *Antigone :* voir note 1, p. 126. \ **2.** *Crassus :* gouverneur de Syrie qui fut assassiné. \ **3.** *Varus :* général romain détesté par la population de Germanie, qui finit ses jours victime d'une conspiration. \ **4.** *Syriaque :* langue araméenne parlée en Palestine à l'époque. \ **5.** *Péplos :* voir note 8, p. 101. \ **6.** *Trésor des Atrides :* tombe à coupole consacrée aux membres de la famille d'Atrée (en particulier le roi Agamemnon et son épouse Clytemnestre, que les archéologues situent à Mycènes, dans le Péloponnèse). \ **7.** *Patère :* vase sacré utilisé pour les libations. \ **8.** *Calcédoines :* pierres précieuses d'un blanc laiteux auxquelles ses oreilles sont comparées. \ **9.** *Gorge-de-pigeon :* d'une couleur qui change avec la lumière, à reflets changeants.

vrerie. Ses caleçons noirs étaient semés de mandragores[1], et
990 d'une manière indolente elle faisait claquer de petites pantoufles en duvet de colibri.

Sur le haut de l'estrade, elle retira son voile. C'était Hérodias, comme autrefois dans sa jeunesse. Puis, elle se mit à danser.

995 Ses pieds passaient l'un devant l'autre, au rythme de la flûte et d'une paire de crotales[2]. Ses bras arrondis appelaient quelqu'un, qui s'enfuyait toujours. Elle le poursuivait, plus légère qu'un papillon, comme une Psyché[3] curieuse, comme une âme vagabonde, et semblait prête à s'envoler.

1000 Les sons funèbres de la gingras[4] remplacèrent les crotales. L'accablement avait suivi l'espoir. Ses attitudes exprimaient des soupirs, et toute sa personne une telle langueur qu'on ne savait pas si elle pleurait un dieu, ou se mourait dans sa caresse. Les paupières entre-closes, elle se tordait la taille, balançait son
1005 ventre avec des ondulations de houle, faisait trembler ses deux seins, et son visage demeurait immobile, et ses pieds n'arrêtaient pas.

Vitellius la compara à Mnester[5], le pantomime. Aulus vomissait encore. Le Tétrarque se perdait dans un rêve, et ne songeait
1010 plus à Hérodias. Il crut la voir près des Sadducéens. La vision s'éloigna.

Ce n'était pas une vision. Elle avait fait instruire, loin de Machærous, Salomé sa fille, que le Tétrarque aimerait ; et l'idée était bonne. Elle en était sûre, maintenant !

---

1. *Mandragores :* plantes auxquelles étaient prêtées des pouvoirs magiques. \ **2.** *Crotales :* sortes de castagnettes de métal, de bois ou de coquillage utilisées pour accompagner les danses. \ **3.** *Psyché :* dans le conte « Amour et Psyché » d'Apulée, Psyché, la plus belle des mortelles, est aimée chaque soir par Cupidon qui refuse de se laisser voir. Fascinée par la beauté de Cupidon, Psyché brûle involontairement son amant avec l'huile d'une lampe et ce dernier la chasse. Elle ne peut le retrouver qu'au prix d'épreuves imposées par Vénus. \ **4.** *Gingras :* grosse flûte phénicienne. \ **5.** *Mnester :* comédien célèbre, favori de Caligula.

1015 Puis, ce fut l'emportement de l'amour qui veut être assouvi. Elle dansa comme les prêtresses des Indes, comme les Nubiennes des cataractes[1], comme les bacchantes[2] de Lydie. Elle se renversait de tous les côtés, pareille à une fleur que la tempête agite. Les brillants de ses oreilles sautaient, l'étoffe de 1020 son dos chatoyait ; de ses bras, de ses pieds, de ses vêtements jaillissaient d'invisibles étincelles qui enflammaient les hommes. Une harpe chanta ; la multitude y répondit par des acclamations. Sans fléchir ses genoux en écartant les jambes, elle se courba si bien que son menton frôlait le plancher ; et les 1025 nomades habitués à l'abstinence, les soldats de Rome experts en débauches, les avares publicains, les vieux prêtres aigris par les disputes, tous, dilatant leurs narines, palpitaient de convoitise.

Ensuite elle tourna autour de la table d'Antipas, frénéti-1030 quement, comme le rhombe[3] des sorcières ; et d'une voix que des sanglots de volupté entrecoupaient, il lui disait : – « Viens ! viens ! » Elle tournait toujours ; les tympanons[4] sonnaient à éclater, la foule hurlait. Mais le Tétrarque criait plus fort : « Viens ! viens ! Tu auras Capharnaüm ! la plaine de Tibérias ! 1035 mes citadelles ! la moitié de mon royaume ! »

Elle se jeta sur les mains, les talons en l'air, parcourut ainsi l'estrade comme un grand scarabée ; et s'arrêta, brusquement.

Sa nuque et ses vertèbres faisaient un angle droit. Les fourreaux de couleur qui enveloppaient ses jambes, lui passant 1040 par-dessus l'épaule, comme des arcs-en-ciel, accompagnaient sa figure, à une coudée[5] du sol. Ses lèvres étaient peintes, ses sourcils très noirs, ses yeux presque terribles, et des goutte-

1. *Nubiennes des cataractes* : femmes de la haute vallée du Nil au sud de l'Égypte. \ 2. *Bacchantes* : dans les orgies organisées en l'honneur de Dionysos, les bacchantes étaient des jeunes filles peu vêtues, ivres et dansant en état de transe. \ 3. *Rhombe* : toupie aux pouvoirs hypnotiques utilisée pour les enchantements. \ 4. *Tympanons* : tambourins. \ 5. *Coudée* : une coudée romaine mesure 44,2 cm.

lettes à son front semblaient une vapeur sur du marbre blanc.

1045 Elle ne parlait pas. Ils se regardaient.

Un claquement de doigts se fit dans la tribune. Elle y monta, reparut ; et, en zézayant un peu, prononça ces mots, d'un air enfantin :

– « Je veux que tu me donnes dans un plat, la tête... »

1050 Elle avait oublié le nom, mais reprit en souriant : « La tête de Iaokanann ! »

Le Tétrarque s'affaissa sur lui-même, écrasé.

Il était contraint par sa parole, et le peuple attendait. Mais la mort qu'on lui avait prédite, en s'appliquant à un autre, 1055 peut-être détournerait la sienne ? Si Iaokanann était véritablement Élie, il pourrait s'y soustraire ; s'il ne l'était pas, le meurtre n'avait plus d'importance.

Mannaeï était à ses côtés, et comprit son intention.

Vitellius le rappela pour lui confier le mot d'ordre, des senti-1060 nelles gardant la fosse.

Ce fut un soulagement. Dans une minute, tout serait fini !

Cependant Mannaeï n'était guère prompt en besogne.

Il rentra, mais bouleversé.

Depuis quarante ans il exerçait la fonction de bourreau. 1065 C'était lui qui avait noyé Aristobule, étranglé Alexandre, brûlé vif Matathias, décapité Zosime, Pappus, Joseph et Antipater[1] ; et il n'osait tuer Iaokanann ! Ses dents claquaient, tout son corps tremblait.

Il avait aperçu devant la fosse le Grand Ange des Samari-1070 tains, tout couvert d'yeux et brandissant un immense glaive, rouge, et dentelé comme une flamme. Deux soldats amenés en témoignage pouvaient le dire.

---

1. *C'était lui* [...] *Antipater :* Aristobule, noyé en l'an 33, était le beau-frère d'Hérode le Grand ; Joseph, son oncle, est décapité la même année ; Alexandre, étranglé en l'an 6 et Antipater, décapité en l'an 8, sont ses propres fils.

Ils n'avaient rien vu, sauf un capitaine juif, qui s'était précipité sur eux, et qui n'existait plus.

La fureur d'Hérodias dégorgea en un torrent d'injures populacières et sanglantes. Elle se cassa les ongles au grillage de la tribune, et les deux lions sculptés semblaient mordre ses épaules et rugir comme elle.

Antipas l'imita, les prêtres, les soldats, les Pharisiens, tous réclamant une vengeance, et les autres, indignés qu'on retardât leur plaisir.

Mannaeï sortit, en se cachant la face.

Les convives trouvèrent le temps encore plus long que la première fois. On s'ennuyait.

Tout à coup, un bruit de pas se répercuta dans les couloirs. Le malaise devenait intolérable.

La tête entra ; – et Mannaeï la tenait par les cheveux, au bout de son bras, fier des applaudissements.

Quand il l'eut mise sur un plat, il l'offrit à Salomé.

Elle monta lestement dans la tribune ; plusieurs minutes après, la tête fut rapportée par cette vieille femme que le Tétrarque avait distinguée le matin sur la plate-forme d'une maison, et tantôt dans la chambre d'Hérodias.

Il se reculait pour ne pas la voir. Vitellius y jeta un regard indifférent.

Mannaeï descendit l'estrade, et l'exhiba aux capitaines romains, puis à tous ceux qui mangeaient de ce côté.

Ils l'examinèrent.

La lame aiguë de l'instrument, glissant du haut en bas, avait entamé la mâchoire. Une convulsion tirait les coins de la bouche. Du sang, caillé déjà, parsemait la barbe. Les paupières closes étaient blêmes comme des coquilles ; et les candélabres à l'entour envoyaient des rayons.

Elle arriva à la table des prêtres. Un Pharisien la retourna curieusement ; et Mannaeï, l'ayant remise d'aplomb, la posa devant Aulus, qui en fut réveillé. Par l'ouverture de leurs cils, les prunelles mortes et les prunelles éteintes semblaient se dire quelque chose.

Ensuite Mannaeï la présenta à Antipas. Des pleurs coulèrent sur les joues du Tétrarque.

Les flambeaux s'éteignaient. Les convives partirent ; et il ne resta plus dans la salle qu'Antipas, les mains contre ses tempes, et regardant toujours la tête coupée, tandis que Phanuel, debout au milieu de la grande nef, murmurait des prières, les bras étendus.

À l'instant où se levait le soleil, deux hommes, expédiés autrefois par Iaokanann, survinrent, avec la réponse si longtemps espérée.

Ils la confièrent à Phanuel, qui en eut un ravissement.

Puis il leur montra l'objet lugubre, sur le plateau, entre les débris du festin. Un des hommes dit :

– « Console-toi ! Il est descendu chez les morts annoncer le Christ ! »

L'Essénien comprenait maintenant ces paroles : « Pour qu'il croisse, il faut que je diminue. »

Et tous les trois, ayant pris la tête de Iaokanann, s'en allèrent du côté de la Galilée.

Comme elle était très lourde, ils la portaient alternativement.

DOSSIER

LIRE L'ŒUVRE

QUESTIONNAIRE DE LECTURE

LES TITRES, LE GENRE DU CONTE

1. Comment peut-on justifier la réunion de ces trois textes sous un titre commun ?

2. Le titre choisi pour chaque récit évoque-t-il le seul genre du conte ? Quelles autres catégories génériques (telles que roman d'aventures, roman psychologique ou historique, hagiographie, etc.) vous paraissent également pertinentes ?

3. Le genre du conte suppose généralement des textes porteurs d'un enseignement facile à interpréter. Est-ce le cas pour ces récits rassemblés sous le titre de *Trois Contes* ? Pourquoi ?

4. Le lecteur d'un conte attend traditionnellement le traitement d'un certain nombre de thèmes : ces attentes sont-elles satisfaites ici ? Pourquoi ? Quels thèmes reviennent dans les trois récits ?

■ Pour répondre

Pour répondre à la dernière partie de la question, vous tiendrez compte de la façon dont les personnages accomplissent leur destin.

L'ESPACE

5. Dans quels espaces géographiques ces récits se déploient-ils ? Quel sens donnez-vous au choix de ces espaces par l'auteur ?

6. Comment l'espace est-il traité dans chacun des récits ?

■ Pour répondre

Demandez-vous par exemple s'il s'agit d'un espace en expansion ou au contraire d'un espace qui se réduit progressivement. Demandez-vous aussi s'il s'agit d'un espace dans lequel il est possible de s'élever, de changer d'altitude, ou s'il s'agit au contraire d'un espace définitivement horizontal.

LE TEMPS

7. Comment peut-on justifier l'ordre dans lequel Flaubert a disposé les trois textes au sein du recueil formé par les *Trois Contes* ?

8. Sur quelle durée s'étend *Un cœur simple* ? *La Légende de saint Julien l'Hospitalier* ? *Hérodias* ? Qu'en concluez-vous ?

LES PERSONNAGES

9. Qui sont les personnages principaux des différents récits ? Est-il possible, d'un conte à l'autre, d'opérer entre ces personnages certains rapprochements ? Justifiez votre réponse.

10. Quelle place et quelles fonctions les différents récits donnent-ils aux animaux ?

LES REGISTRES

11. Quels registres Flaubert utilise-t-il ? Quel est l'effet produit ? Votre réponse s'appuiera sur des exemples précis.

■ Pour répondre
Vous ne négligerez aucun des principaux registres : comique, épique, fantastique, lyrique, pathétique, satirique, tragique.

12. Quels passages relèvent du fantastique ? du merveilleux ? Pourquoi ? Quel sens donnez-vous à l'irruption de ces passages dans les récits ?

LA NARRATION

13. Le narrateur se manifeste-t-il ? À quels moments ? Quel est l'effet produit ?

14. Si l'on entend par réalisme un type de littérature qui veut représenter le quotidien au plus près du vécu en puisant dans les choses vues, quel est le conte qui illustre le mieux cette définition ? Pourquoi ?

L'ŒUVRE DANS L'HISTOIRE

LE CONTEXTE HISTORIQUE ET CULTUREL

L'HISTOIRE CONTEMPORAINE

La Restauration (1815-1830)

Au moment où il écrit les *Trois Contes*, entre septembre 1875 et janvier 1877, Flaubert (1821-1880) a été témoin des événements qui ont secoué la France entre la mort de Napoléon 1er et la naissance de la IIIe République. Après l'humiliation de l'empereur à Waterloo (18 juin 1815), le trône et l'Église sont restaurés : règnent successivement Louis XVIII (1814-1824) et Charles X (1824-1830). La France connaît alors une monarchie constitutionnelle non démocratique (suffrage censitaire). Mais le retour à l'Ancien Régime est impensable : les temps nouveaux sont à l'industrie, au commerce, au profit. La bourgeoisie est la classe sociale appelée à assurer l'essor du capitalisme moderne.

La période de la Restauration est mentionnée dans *Un cœur simple*, puisque c'est le 14 juillet 1819 que le neveu de Félicité, engagé au long cours, quitte Honfleur pour partir sur une goélette, preuve que le dynamisme du capitalisme moderne parvient à secouer même la torpeur de la Normandie profonde ! Dans le « bazar » de la chambre de Félicité, on retrouve aussi un « portrait du comte d'Artois » (l. 1007), qui a régné sous le nom de Charles X : c'est une des « vieilleries » dont Mme Aubain s'est débarrassée.

La monarchie de Juillet (1830-1848)

Les journées révolutionnaires des 27, 28 et 29 juillet 1830 entraînent la fin de la Restauration et l'avènement de la monarchie de Juillet. Ces journées révolutionnaires expliquent, dans *Un cœur simple*, la nomination du nouveau sous-préfet :

> Une nuit, le conducteur de la malle-poste annonça dans Pont-l'Évêque la Révolution de Juillet. Un sous-préfet nouveau, peu de jours après, fut nommé : le baron de Larsonnière (l. 755-757).

La monarchie de Juillet correspond au règne de Louis-Philippe (1830-1848), « le roi bourgeois ». Imprégnée au départ de l'esprit de Voltaire et des idéaux des Lumières, la bourgeoisie va peu à peu préférer les lois du profit à la solidarité sociale et aux émotions artistiques.

La quasi-absence des événements politiques dans *Un cœur simple* permet de montrer la vie presque immobile des campagnes : Félicité meurt quelques années après 1853 (date de la mort de Mme Aubain), mais le texte ne fait aucune allusion ni à la révolution de 1848 ni au coup d'État du 2 Décembre 1851. C'est dans *L'Éducation sentimentale* (1869) que Flaubert peint longuement les révolutions de février et de juin 1848, ce qui prouve que les événements politiques l'intéressent dès lors qu'ils peuvent lui servir de matériau pour écrire. Mais on sait par sa correspondance que Flaubert était sans illusions sur les changements politiques : il haïssait aussi bien les bourgeois que le peuple pour leur bêtise.

L'Histoire contemporaine dans les **Trois Contes**

Dans *Un cœur simple*, les décennies pendant lesquelles « les bourgeoises de Pont-l'Évêque envièrent à Mme Aubain sa servante Félicité » (l. 1-2) correspondent à la première moitié du XIXe siècle. Ce XIXe siècle n'est pas absent des deux autres contes. En effet, la distance temporelle qui sépare *La Légende de saint Julien l'Hospitalier* et *Hérodias* du siècle de leur publication n'empêche pas d'y repérer des enjeux culturels et esthétiques propres au XIXe siècle, notamment un certain goût pour l'Histoire, en particulier le Moyen Âge et l'Orient, abondamment illustrés dans les années 1820-1830 par la vogue des romans historiques de l'écrivain écossais Walter Scott.

Le recueil des *Trois Contes* ne peut être dissocié de la société qui l'a vu naître. C'est vrai lorsqu'un des contes entreprend de narrer le demi-siècle de servitude d'une domestique normande. C'est vrai aussi lorsque le récit nous transporte dans un Moyen Âge dont le romantisme a renouvelé l'intérêt, ou dans une Antiquité judéo-chrétienne qui suscite un regain d'attention ; en effet, le XIXe siècle découvre l'archéologie et se montre soucieux, après le rationalisme polémique des Lumières, de replacer les religions dans leur cadre d'origine et de restituer avec la plus grande exactitude la mentalité et la vie quotidienne des époques où elles se sont affirmées.

LE MOYEN ÂGE ET L'ANTIQUITÉ JUDÉO-CHRÉTIENNE

C'est parce que les *Trois Contes* s'insèrent dans leur temps qu'ils proposent une vision de deux périodes historiques, le Moyen Âge et l'Antiquité, pour lesquelles le XIXe siècle a montré un intérêt particulier.

Le haut Moyen Âge

• Une évocation érudite

Les indications temporelles sont imprécises dans *La Légende de saint Julien l'Hospitalier* mais le Moyen Âge n'en est pas moins reconstitué avec un soin dont témoigne le lexique : béguin, besace, braquemart, brocart, cervoise, chiens d'oysel, courtine, déduit, destrier, douve, échauguette, escarboucles, escarcelle, hennin, javeline, mire, oliphant, rondache [1], sont quelques-uns de ces termes qui ancrent le récit dans la civilisation médiévale [2]. Le mode de vie de Julien est celui d'un seigneur du Moyen Âge et la dernière phrase de *La Légende* voudrait faire croire qu'elle transpose « à peu près » un vitrail médiéval de la cathédrale de Rouen.

Flaubert s'est beaucoup documenté. Il a lu en particulier le *Mémoire sur la peinture sur verre* d'Eustache-Hyacinthe Langlois, un ami de la famille Flaubert, qui avait été son professeur de dessin. Cet essai étudie et reproduit le fameux vitrail du XIIIe siècle situé du côté nord, près du chœur. Il a lu également *La Légende dorée* du dominicain Jacques de Voragine, évêque de Gênes (vers 1230-1298), livre qui contient la vie du saint. Il a lu enfin l'*Essai sur les légendes pieuses du Moyen Âge* de Maury (1843), « *La Légende de saint Julien* d'après un manuscrit de la bibliothèque d'Alençon » de Lecointre-Dupont, et des ouvrages de vènerie.

• L'héritage romantique

Le choix de situer un récit au Moyen Âge est courant depuis la période romantique. Pensons par exemple à *Ivanhoé* (1819) et *Quentin Durward* (1823) de Walter Scott, ou à *Notre-Dame de Paris* (1831) de Victor Hugo. Mais Flaubert n'écrit pas une nouvelle historique : il cherche une ambiance et des images qui assurent la créance du lecteur et aident l'écri-

---

1. Ces différents termes sont définis dans les notes de bas de page accompagnant le texte de Flaubert. \ 2. Pour le critique Albert Thibaudet, « *Un cœur simple* et *Saint Julien* sont placés aux deux extrémités où il n'y a pas encore et où il n'y a plus d'histoire et où pourtant l'histoire rôde, ici comme un pressentiment et là comme un souvenir » (Albert Thibaudet, *Gustave Flaubert*, coll. « Tel », Gallimard, 1935).

vain à renoncer à l'épanchement de sa subjectivité. Certains passages de *La Légende* transportent le lecteur dans des espaces immenses et enjambent des durées considérables : le souci de dépayser le lecteur y va de pair avec celui, courant depuis le romantisme là aussi, de restituer en quelques traits rapides la couleur locale des peuples exotiques :

> Il combattit des Scandinaves recouverts d'écailles de poisson, des Nègres munis de rondaches en cuir d'hippopotame et montés sur des ânes rouges, des Indiens couleur d'or et brandissant par-dessus leurs diadèmes de larges sabres, plus clairs que des miroirs. Il vainquit les Troglodytes et les Anthropophages (l. 442-447).

La Palestine du début du Ier siècle

La mort de Jean-Baptiste est généralement située vers l'an 29 de notre ère, époque où la Palestine est un territoire très disputé. Depuis le règne du roi David (« Mais ton grand-père balayait le temple d'Ascalon ! Les autres étaient bergers, bandits, conducteurs de caravanes, une horde, tributaire de Juda depuis le roi David ! », s'exclame Hérodias, l. 229-231), soit depuis un millénaire, l'histoire du peuple hébreu est marquée par les exils, dispersions et captivités qui lui ont été infligés par les Égyptiens, les Assyriens et les Perses. Pendant le règne d'Hérode Antipas, la Palestine est sous contrôle romain (Pompée s'est emparé de Jérusalem en l'an 63 avant notre ère). Antipas ne tient son pouvoir que de Rome et il fait passer l'urbanisation de la Galilée et son intégration dans l'espace commercial romain avant les traditions judaïques des artisans, pêcheurs, bergers et agriculteurs. Les Romains méconnaissent les croyances et les rites juifs, si bien que l'attitude de prédicateurs comme Iaokanann et l'annonce d'un Messie sèment la crainte chez l'occupant et inquiètent Antipas, comme le montre *Hérodias*. Des partis comme celui des Sadducéens collaborent avec les colonisateurs, ce qui exacerbe le conflit entre Juifs et Romains. Dans *Hérodias*, Flaubert donne un exemple de ces surenchères lorsque Hérodias prétend que Jean-Baptiste « ordonne au peuple de refuser l'impôt » (l. 666-667).

Les désaccords entre partis juifs portaient sur l'attitude à adopter vis-à-vis du message de Jésus, sur l'interprétation de la Torah et sur l'attitude à adopter face à l'occupation romaine : Mannaeï « exécrait les Juifs comme tous les Samaritains » (l. 89-90) ; Phanuel, disciple du Christ, est essenien (« L'Essenien répondit », l. 290) ; pendant le festin, le Sadducéen Jonathas se moque de la prétention du corps à la vie éternelle ; pour le Pharisien Éléazar, le prétendu Jésus n'est qu'un infâme bateleur, le vrai Jésus sera enfant de David et sera précédé d'Élie ; pour Jacob, il fait des miracles, il est le Messie et Élie s'appelle Iaokanann.

L'incipit d'*Hérodias* suggère la réalité des forces politiques et religieuses en présence et le lecteur attentif aux indices donnés par le récit ne peut que s'attendre à les voir se réveiller :

> Antipas attendait les secours des Romains [...]. Les Juifs ne voulaient plus de ses mœurs idolâtres, tous les autres de sa domination ; si bien qu'il hésitait entre deux projets : adoucir les Arabes ou conclure une alliance avec les Parthes (l. 42-50).

Pendant cette journée commencée dans un calme trompeur, le narrateur archéologue des temps disparus va restituer la complexité des rapports de force et des situations. Il contribue ainsi à renouveler l'intérêt pour des époques reculées.

TROIS CONTES, TROIS ÉPOQUES : L'UNITÉ DU RECUEIL

On sait, par la correspondance de Flaubert, qu'il rédigea d'abord *La Légende de saint Julien l'Hospitalier*, puis *Un cœur simple*, enfin *Hérodias*. L'ordre de présentation des contes retenu pour la publication inverse la chronologie : en commençant par développer une action au XIXe siècle, en enchaînant avec une légende médiévale et en terminant par un récit historique situé au Ier siècle de notre ère, Flaubert remonte le temps par deux bonds de dix siècles. À l'éloignement temporel s'ajoute l'éloignement spatial : de Basse-Normandie, le lecteur se rend en Occitanie, autrement dit en Europe du Sud, puis au Moyen-Orient. Le recueil va du familier vers l'exotique.

Cette remontée temporelle et ce déplacement géographique vers la Palestine nous conduisent aux origines de la religion chrétienne. Félicité, Julien et saint Jean-Baptiste sont tous placés devant la question de l'éternité, de la croyance et de la sainteté. Leur destin est le même : rejoindre Dieu au terme de leurs souffrances, de leur Passion. Le triptyque va ainsi d'une époque gagnée par le matérialisme vers un Moyen Âge où la chrétienté impose ses valeurs par des croisades, pour rejoindre les débuts du christianisme, les temps qui annonçaient l'arrivée du Messie. L'unité du recueil réside d'abord et avant tout dans cette présence constante de la question de la foi.

LE CONTEXTE BIOGRAPHIQUE

NAISSANCE D'UNE VOCATION

Gustave Flaubert est né le 12 décembre 1821 à Rouen, d'une fille de médecin, Anne-Justine-Caroline Fleuriot, et d'un chirurgien, Achille-Cléophas Flaubert. Sa passion pour la littérature est précoce. Entre treize et quinze ans, il écrit des contes et nouvelles philosophiques, historiques ou fantastiques qui paraissent dans un petit journal rouennais, *Le Colibri*. Achille, son frère aîné, porte les espoirs des parents Flaubert. La discipline stricte du collège, l'atmosphère froide de l'hôpital, sa position de cadet mis à l'écart, l'esprit étroit de la bourgeoisie commerçante de Rouen, tous ces éléments expliquent que Flaubert éprouve le sentiment d'être une victime de l'injustice sociale et de la bêtise.

Ses études secondaires terminées, ses parents veulent faire de lui un avocat. Mais l'étude du droit l'ennuie profondément. Une attaque nerveuse d'apparence épileptique survenue en janvier 1844 incite sa famille à abandonner l'idée de l'orienter vers une carrière juridique, à son grand bonheur. Les parents achètent une résidence d'été, la propriété de Croisset, à quelques kilomètres en aval de Rouen. En janvier 1846, Flaubert termine la première version de *L'Éducation sentimentale*, commencée en 1843.

En janvier 1846, son père meurt. En mars de la même année, c'est sa jeune sœur Caroline qui disparaît à son tour. Flaubert fait la rencontre de Louise Colet, l'épouse du sculpteur James Pradier. La correspondance amoureuse entre les deux amants est très précieuse pour comprendre les théories littéraires de l'écrivain et les méthodes de travail utilisées pendant la rédaction de *Madame Bovary* (1851-1856).

La révolution de 1848 ne convainc pas l'écrivain, qui se contente de voir l'émeute « au point de vue de l'art ». Le 30 mars 1857, il écrit à Mlle Leroyer de Chantepie : « Je n'ai de sympathie pour aucun parti politique ou pour mieux dire je les exècre tous, parce qu'ils me semblent également bornés, faux, puérils, s'attaquant à l'éphémère, sans vues d'ensemble et ne s'élevant jamais au-dessus de *l'utile*. »

La première version de *La Tentation de saint Antoine* est terminée le 12 septembre 1849. Mais l'avis de Maxime Du Camp et de Louis Bouilhet n'est pas bon et Flaubert ne retravaillera ce texte qu'en 1857. Nul doute que l'écrivain était lucide sur lui-même lorsqu'il écrivait :

> Ce qui m'attire par-dessus tout, c'est la religion. Je veux dire toutes les religions, pas plus l'une que l'autre. Chaque dogme en particulier m'est répulsif, mais je considère le sentiment qui les a inventés comme le plus naturel et le plus poétique de l'humanité[1].

Cette « tentation de Flaubert » se retrouve dans les *Trois Contes*.

L'APPEL DE L'AILLEURS

Comme les autres écrivains de la génération romantique, Flaubert est attiré par l'Orient : « l'Orient toujours. J'étais né pour y vivre », écrit-il dans *Souvenirs, notes et pensées intimes* (1840-1841). Il s'y rend d'octobre 1849 à juin 1851, en compagnie de son ami Maxime Du Camp. Dans tous les pays traversés, Égypte, Palestine, Syrie, Asie Mineure, Constantinople, Grèce, Italie, Flaubert ne cesse de prendre des notes, il s'habille selon les modes locales, Du Camp prend photographie sur photographie. En redescendant le Nil, il est attiré par les danses des almées[2], en particulier celle d'Azizeh et celle de Kuchuk-Hanem à Esneh : elles l'aideront à écrire vingt-six ans plus tard l'épisode où Salomé envoûte Hérode Antipas.

Mais Flaubert ne rapporte pas d'Orient un récit de voyage. À Sainte-Beuve, en décembre 1862, il écrira en parlant de *Salammbô* dont l'intrigue se situe dans la Carthage antique : « j'ai voulu fixer un mirage en appliquant à l'Antiquité les procédés du roman moderne. » L'écrivain a besoin de se rendre mélancolique pour mieux peindre les choses ensuite.

« L'HOMME-PLUME »

De retour à Croisset, Gustave se consacre corps et âme à l'écriture. Avec *Madame Bovary*, il met au point une écriture radicalement neuve : son principal souci consiste à ne pas se manifester dans ses récits, à traquer les traces de subjectivité, pour laisser le lecteur seul juge : « L'artiste doit s'arranger de façon à faire croire à la postérité qu'il n'a pas vécu » (Lettre à Louise Colet,

---

1. Lettre à Mlle Leroyer de Chantepie du 30 mars 1857. \ **2.** *Almées* : danseuses égyptiennes.

27 mars 1852). Un travail de quatre ans et demi aboutit à la rédaction de 3 831 feuillets. Dès 1856, Flaubert pense à une *Légende de saint Julien*.

Le 29 janvier 1857, *Madame Bovary* lui vaut un procès pour atteinte aux bonnes mœurs. Il est acquitté le 7 février. Avant de se lancer dans un « roman carthaginois », il lit une quantité considérable de documents et se rend en Algérie et à Carthage (avril-juin 1858). *Salammbô* est publié après cinq ans de travail, en novembre 1862.

Pendant ces années, Flaubert voit souvent les Goncourt, George Sand, Tourgueniev. En 1869, la deuxième version de *L'Éducation sentimentale* est publiée.

LES DERNIÈRES ANNÉES

Les difficultés matérielles

Pendant la guerre de 1870, la résidence de Croisset est occupée par les Prussiens. *L'Éducation sentimentale* (1869), sa pièce *Le Candidat* (1874), la troisième version de *La Tentation de saint Antoine* (1874) sont des échecs. La rédaction de son roman *Bouvard et Pécuchet* est beaucoup plus difficile et longue que prévu. Louis Bouilhet et Sainte-Beuve meurent en 1869, Jules de Goncourt en 1870, sa mère en 1872.

Surtout, sa nièce Caroline, qu'il a élevée comme sa propre fille, s'est mariée à un importateur de bois qui fait faillite. Pour l'aider, Flaubert doit vendre en 1875 toutes les possessions immobilières familiales, excepté Croisset. Désormais il vivra dans les difficultés financières.

Trois Contes : *un recueil testamentaire*

Dernière œuvre achevée et publiée de son vivant (avril 1877), *Trois Contes* réunit de nombreuses caractéristiques de ses autres œuvres, ce qui donne à ce recueil une allure testamentaire. Bien des points communs existent par exemple entre *Madame Bovary* (1857) et *Un cœur simple*. La servante d'Emma se prénomme aussi Félicité, et le « demi-siècle de servitude » de Catherine Leroux, la servante décorée pendant les Comices agricoles, fait penser à la première phrase d'*Un cœur simple* et à la sœur de Félicité, Nastasie Barette, femme Leroux. Les deux œuvres se déroulent dans la campagne normande et au XIXe siècle, et toutes deux tendent vers l'écriture réaliste et impersonnelle. Des similitudes existent entre *La Tentation de saint Antoine* et *La Légende de saint Julien* : les deux récits se situent à l'époque médiévale, ils abordent la question de la sainteté. D'autres échos existent entre *Salammbô* (1862) et *Hérodias* : la situation dans l'époque antique, l'attention accordée aux thèmes de la violence, du pouvoir, du désir.

Flaubert, qui avait commencé ce recueil en 1875 pour oublier ses graves ennuis financiers, l'envisageait comme un exercice littéraire de faible enjeu. Mais la plupart des critiques sont séduits. Il reprend ensuite son roman *Bouvard et Pécuchet*. En 1879, il accepte une pension de trois mille francs offerte par le ministre de l'Instruction publique Jules Ferry.

En février 1880, il applaudit *Boule de suif*, nouvelle qui rend célèbre Guy de Maupassant, alors âgé de vingt-neuf ans.

Le 8 mai 1880, il meurt victime d'une hémorragie cérébrale. *Bouvard et Pécuchet* (roman inachevé) est publié en 1881.

LA RÉCEPTION DES *TROIS CONTES*

Les critiques sont unanimes pour saluer la réussite des *Trois Contes* lors de sa parution en feuilleton entre le 12 et le 22 avril 1877, puis en volume le 24 avril. L'éditeur Charpentier doit tirer cinq éditions du recueil en 1877 et 1878 : les gros tirages qu'obtient Zola pour *L'Assommoir* au même moment n'ont pas gêné les ventes du recueil de Flaubert. D'éminents critiques littéraires et écrivains comme Banville, Taine ou Leconte de Lisle ne tarissent pas d'éloges.

Ces trois récits n'ont peut-être pas la signification rassurante que leur ont prêtée le public et les critiques de 1877. En les réunissant, Flaubert a sans doute voulu aussi mettre en évidence à quel point les événements, au fil du temps, ont tendance à se transformer en légendes sacralisées ou en hagiographies édifiantes. Dans *Hérodias* ou dans *La Légende de saint Julien l'Hospitalier*, cela concerne des individus dotés d'une biographie hors du commun, qui ont participé à de nombreux hauts faits. Mais dans *Un cœur simple*, il s'agit d'une simple servante qui connaît une apothéose mystique après avoir côtoyé la bêtise satisfaite d'une bourgeoise et noué des relations privilégiées avec… un perroquet. Nous sommes si loin des légendes édifiantes qu'on peut soupçonner ici l'auteur d'une ironie qui interdit toute lecture étroitement chrétienne et édifiante des *Trois Contes*.

C'est à partir du milieu du XXe siècle qu'universitaires et critiques établissent solidement la modernité de ces textes. Elle peut se résumer par ces mots d'Yvan Leclerc, grand spécialiste de l'écrivain :

> Flaubert écrit des romans où il ne se passe pas grand-chose, où il ne peut pas jouer sur le ressort. Donc tout est dans l'intérêt du langage. On lit Balzac ou Stendhal pour l'histoire. Quand on lit du Flaubert, on ne peut pas oublier que c'est écrit. Il y a un effet de surface, c'est du style qui se voit[1].

Cette citation résume bien l'esprit dans lequel notre époque lit l'œuvre de Flaubert, considéré comme un écrivain précurseur d'une modernité romanesque moins soucieuse d'inventer des histoires complexes que d'explorer les ressources du langage dans des histoires parfois réduites à de simples prétextes.

GROUPEMENT DE TEXTES : ENTRE LÉGENDE, CONTE ET NOUVELLE

Les récits rassemblés dans les *Trois Contes* traitent de sujets très variés : la vie d'une servante du XIXe siècle, la vie d'un saint médiéval, les derniers instants d'un prophète.

Textes bibliques, hagiographies médiévales, contes exotiques ou philosophiques ont déjà campé des personnages ou inventé des situations que le lecteur de Flaubert est susceptible de retrouver dans les *Trois Contes*, une œuvre qui exploite les données du patrimoine culturel selon des modalités qu'une réflexion sur le groupement de textes suivant permet de préciser.

Après avoir lu les textes 1 à 4 ci-dessous, vous répondrez aux questions suivantes.

1. Dans quels textes relève-t-on des faits merveilleux ? Lesquels ? Flaubert a-t-il exploité cette veine dans les *Trois Contes* ?

1. « Flaubert serait furieux », article paru dans *Libération*, 5 mars 2005.

2. D'après ces textes, comment un conte traditionnel commence-t-il ? Les récits de Flaubert obéissent-ils à ces conventions ?

3. Quels textes contiennent des traces d'oralité manifestant la présence du conteur ? Ces effets se retrouvent-ils dans les *Trois Contes* ? Pourquoi ?

4. Dans quels textes a-t-on affaire à une écriture réaliste ? Pourquoi ? Cette écriture se retrouve-t-elle dans les *Trois Contes* ? Justifiez votre réponse.

5. Dans quel texte le registre satirique affleure-t-il ? Comment ? Flaubert y a-t-il recours dans les *Trois Contes* ? Justifiez votre réponse.

TEXTE 1 • Évangile selon saint Marc (VI, 14-29)

La Bible, Nouveau Testament, traduction de Lemaître de Sacy (1613-1684).

Or la réputation de Jésus s'étant beaucoup répandue, le roi Hérode entendit parler de lui ; ce qui lui faisait dire : Jean-Baptiste est ressuscité après sa mort ; c'est pour cela qu'il se fait par lui tant de miracles.

5 Quelques-uns disaient : c'est Élie. Mais d'autres disaient : C'est un prophète égal à l'un des anciens prophètes.

Hérode, entendant ces bruits différents, disait : Jean, à qui j'ai fait trancher la tête, est celui-là même qui est ressuscité après sa mort.

Car Hérode, ayant épousé Hérodiade, quoiqu'elle fût femme de 10 Philippe son frère, avait envoyé prendre Jean, l'avait fait lier et mettre en prison à cause d'elle ;

Parce que Jean disait à Hérode : il ne vous est pas permis d'avoir pour femme celle de votre frère.

Depuis cela Hérodiade avait toujours cherché l'occasion de le 15 faire mourir ; mais elle n'avait pu en venir à bout,

Parce que Hérode, sachant qu'il était un homme juste et saint, le craignait et avait du respect pour lui, faisait beaucoup de choses selon ses avis, et était bien aise de l'entendre.

Mais enfin il arriva un jour favorable au dessein d'Hérodiade, 20 qui fut le jour de la naissance d'Hérode, auquel il fit un festin aux grands de la cour, aux premiers officiers de ses troupes et aux principaux de la Galilée ;

Car la fille d'Hérodiade, y étant entrée, et ayant dansé devant le roi, elle lui plut tellement, et à ceux qui étaient à table avec lui, qu'il 25 lui dit : Demandez-moi ce que vous voudrez, et je vous le donnerai ;

Et il ajouta avec serment : Oui je vous donnerai tout ce que vous me demanderez, quand ce serait la moitié de mon royaume.

Elle, étant sortie, dit à sa mère : Que demanderai-je ? Sa mère lui répondit : La tête de Jean-Baptiste.

30 Et étant rentrée aussitôt en grande hâte où était le roi. Je demande, dit-elle, que vous me donniez tout présentement dans un bassin la tête de Jean-Baptiste.

Le roi en fut fort fâché. Néanmoins à cause du serment qu'il avait fait, et de ceux qui étaient à table avec lui, il ne voulut pas 35 la refuser.

Ainsi il envoya un de ses gardes avec ordre d'apporter la tête de Jean dans un bassin ; et ce garde, étant allé dans la prison, lui coupa la tête,

L'apporta dans un bassin, et la donna à la fille, et la fille la donna 40 à sa mère.

Ses disciples, l'ayant su, vinrent emporter son corps, et le mirent dans un tombeau.

TEXTE 2 • Jacques de Voragine, *La Légende dorée* (vers 1250), « Saint-Julien »

Traduction J.-B. M. Roze, Garnier-Flammarion, Paris, 1967.

On trouve encore un autre Julien qui tua son père et sa mère sans le savoir. Un jour, ce jeune noble prenait le plaisir de la chasse et poursuivait un cerf qu'il avait fait lever, quand tout à coup le cerf se tourna vers lui miraculeusement et lui dit : « Tu me poursuis, toi qui tue-5 ras ton père et ta mère ? » Quand Julien eut entendu cela, il fut étrangement saisi, et dans la crainte que tel malheur prédit par le cerf lui arrivât, il s'en alla sans prévenir personne, et se retira dans un pays fort éloigné, où il se mit au service d'un prince ; il se comporta si honorablement partout, à la guerre comme à la cour, que le prince 10 le fit son lieutenant et le maria à une châtelaine veuve, en lui donnant un château pour dot. Cependant, les parents de Julien, tourmentés par la perte de leur fils, se mirent à sa recherche en parcourant avec soin les lieux où ils avaient l'espoir de le trouver. Enfin ils arrivèrent au château dont Julien était le seigneur : pour lors saint 15 Julien se trouvait absent. Quand sa femme les vit et leur eut demandé qui ils étaient, et qu'ils eurent raconté tout ce qui était arrivé à leur

fils, elle reconnut que c'était le père et la mère de son époux, parce qu'elle l'avait entendu souvent lui raconter son histoire. Elle les reçut donc avec bonté, et pour l'amour de son mari, elle leur donne son lit
20 et prend pour elle une autre chambre. Le matin arrivé, la châtelaine alla à l'église ; pendant ce temps, arriva Julien qui entra dans sa chambre à coucher comme pour éveiller sa femme ; mais trouvant deux personnes endormies, il suppose que c'est sa femme avec un adultère, tire son épée sans faire de bruit et les tue l'un et l'autre
25 ensemble. En sortant de chez soi, il voit son épouse revenir de l'église ; plein de surprise, il lui demande qui sont ceux qui étaient couchés dans son lit : « Ce sont, répond-elle, votre père et votre mère qui vous ont cherché bien longtemps et que j'ai fait mettre en votre chambre. » En entendant cela, il resta à demi mort, se mit à verser des larmes
30 très amères et à dire : « Ah ! malheureux ! Que ferai-je ? J'ai tué mes bien-aimés parents. La voici accomplie, cette parole du cerf ; en voulant éviter le plus affreux des malheurs, je l'ai accompli. Adieu donc, ma chère sœur, je ne me reposerai désormais que je n'aie su que Dieu a accepté ma pénitence. » Elle répondit : « Il ne sera pas dit, très cher
35 frère, que je te quitterai ; mais si j'ai partagé tes plaisirs, je partagerai aussi ta douleur. » Alors, ils se retirèrent tous les deux sur les bords d'un grand fleuve, où plusieurs perdaient la vie, ils y établirent un grand hôpital où ils pourraient faire pénitence ; sans cesse occupés à faire passer la rivière à ceux qui se présentaient, et à recevoir tous les
40 pauvres. Longtemps après, vers minuit, pendant que Julien se reposait de ses fatigues et qu'il y avait grande gelée, il entendit une voix qui se lamentait pitoyablement et priait Julien d'une façon lugubre, de le vouloir passer. À peine l'eut-il entendu qu'il se leva de suite, et il ramena dans sa maison un homme qu'il avait trouvé mourant de
45 froid ; il alluma le feu et s'efforça de le réchauffer, comme il ne pouvait réussir, dans la crainte qu'il ne vînt à mourir, il le porta dans son petit lit et le couvrit soigneusement. Quelques instants après, celui qui paraissait si malade et comme couvert de lèpre se lève blanc comme neige vers le ciel, et dit à son hôte : « Julien, le Seigneur m'a
50 envoyé pour vous dire qu'il a accepté votre pénitence et que dans peu de temps tous deux vous reposerez dans le Seigneur. » Alors il disparut, et peu de temps après Julien mourut dans le Seigneur avec sa femme, plein de bonnes œuvres et d'aumônes.

TEXTE 3 • *Les Mille et Une Nuits* (Xe au XIIIe siècles)

Incipit de l'« Histoire du vizir puni » (XVe nuit). Traduction A. Galland (1704-1717).

Il était autrefois un roi, poursuivit-il, qui avait un fils qui aimait passionnément la chasse. Il lui permettait de prendre souvent ce divertissement ; mais il avait donné ordre à son grand-vizir de l'accompagner toujours et de ne le perdre jamais de vue. Un jour de 5 chasse, les piqueurs ayant lancé un cerf, le prince, qui crut que le vizir le suivait, se mit après la bête. Il courut si longtemps, et son ardeur l'emporta si loin, qu'il se trouva seul. Il s'arrêta, et, remarquant qu'il avait perdu la voie, il voulut retourner sur ses pas pour aller rejoindre le vizir, qui n'avait pas été assez diligent pour le suivre 10 de près ; mais il s'égara. Pendant qu'il courait de tous côtés sans tenir de route assurée, il rencontra au bord d'un chemin une dame assez bien faite, qui pleurait amèrement. Il retint la bride de son cheval, demanda à cette femme qui elle était, ce qu'elle faisait seule en cet endroit, et si elle avait besoin de secours : « Je suis, lui répondit-15 elle, la fille d'un roi des Indes. En me promenant à cheval dans la campagne, je me suis endormie, et je suis tombée. Mon cheval s'est échappé, et je ne sais ce qu'il est devenu. » Le jeune prince eut pitié d'elle, et lui proposa de la prendre en croupe, ce qu'elle accepta.

Comme ils passaient près d'une masure, la dame ayant témoigné 20 qu'elle serait bien aise de mettre pied à terre pour quelque nécessité, le prince s'arrêta et la laissa descendre. Il descendit aussi, et s'approcha de la masure en tenant son cheval par la bride. Jugez quelle fut sa surprise lorsqu'il entendit la dame en dedans prononcer ces paroles : « Réjouissez-vous, mes enfants, je vous amène 25 un garçon bien fait et fort gras » ; et d'autres voix lui répondirent aussitôt : « Maman, où est-il, que nous le mangions tout à l'heure, car nous avons bon appétit ? »

Le prince n'eut pas besoin d'en entendre davantage pour concevoir le danger où il se trouvait. Il vit bien que la dame qui se disait 30 fille d'un roi des Indes était une ogresse, femme d'un de ces démons sauvages, appelés ogres, qui se retirent dans des lieux abandonnés, et se servent de mille ruses pour surprendre et dévorer les passants. Il fut saisi de frayeur, et se jeta au plus vite sur son cheval. La prétendue princesse parut dans le moment ; et, voyant

35 qu'elle avait manqué son coup : « Ne craignez rien, cria-t-elle au prince. Qui êtes-vous ? Que cherchez-vous ? – Je suis égaré, répondit-il, et je cherche mon chemin. – Si vous êtes égaré, dit-elle, recommandez-vous à Dieu, il vous délivrera de l'embarras où vous vous trouvez. » Alors le prince leva les yeux au ciel...

40 « Mais, sire, dit Schéhérazade en cet endroit, je suis obligée d'interrompre mon discours ; le jour qui paraît m'impose silence. – Je suis fort en peine, ma sœur, dit Dinarzade, de savoir ce que deviendra ce jeune prince ; je tremble pour lui.

– Je vous tirerai demain d'inquiétude, répondit la sultane, si le 45 sultan veut bien que je vive jusqu'à ce temps-là. » Schahriar, curieux d'apprendre le dénouement de cette histoire, prolongea encore la vie de Schéhérazade.

TEXTE 4 • Voltaire, *Candide* (1759), incipit

Il y avait en Vestphalie, dans le château de M. le baron de Thunder-ten-tronckh, un jeune garçon à qui la nature avait donné les mœurs les plus douces. Sa physionomie annonçait son âme. Il avait le jugement assez droit, avec l'esprit le plus simple ; c'est, je 5 crois, pour cette raison qu'on le nommait Candide. Les anciens domestiques de la maison soupçonnaient qu'il était fils de la sœur de monsieur le baron, et d'un bon et honnête gentilhomme du voisinage, que cette demoiselle ne voulut jamais épouser parce qu'il n'avait pu prouver que soixante et onze quartiers[1], et que le reste 10 de son arbre généalogique avait été perdu par l'injure du temps.

Monsieur le baron était un des plus puissants seigneurs de la Vestphalie, car son château avait une porte et des fenêtres. Sa grande salle même était ornée d'une tapisserie. Tous les chiens de ses basses-cours composaient une meute dans le besoin ; ses pale-15 freniers étaient ses piqueurs ; le vicaire du village était son grand aumônier. Ils l'appelaient tous monseigneur, et ils riaient quand il faisait des contes.

1. *Quartiers :* degrés de descendance noble.

L'ŒUVRE DANS UN GENRE

TROIS CONTES ENTRE CONTE, LÉGENDE ET NOUVELLE

DES CONTES ?

Au XIXe siècle, le mot « conte » désigne un court récit comportant généralement une leçon morale, un enseignement explicite ou implicite. Le terme désigne aussi bien des contes populaires longtemps propagés oralement (dans la continuation de Perrault et Grimm) que des contes philosophiques (genre prisé depuis Voltaire), des contes fantastiques (comme ceux de Balzac, Gautier, Hoffmann, Maupassant, Mérimée, Nodier, Poe) ou des nouvelles (Maupassant, Villiers de l'Isle-Adam). Flaubert lui-même, pour désigner ses trois récits, a parlé de « nouvelles » dans une lettre du 17 juin 1876 à Mlle Leroyer de Chantepie. Le critique Ferdinand Brunetière, dans la *Revue des Deux Mondes* du 15 juin 1877, utilise ce terme à propos des *Trois Contes*. À l'époque où Flaubert publie, la frontière est floue, pour ne pas dire inexistante, entre « conte » et « nouvelle ».

Pour les distinguer, on soulignera que le conte possède plusieurs spécificités qui se retrouvent dans le recueil de Flaubert. D'abord, il s'ouvre sur des formules aisément reconnaissables. La première phrase de *La Légende* évoque ainsi les formules comme « il était une fois » : « Le père et la mère de Julien habitaient un château, au milieu des bois, sur la pente d'une colline. » Ensuite, le caractère oral est l'un des éléments de définition du conte folklorique traditionnel : il se retrouve dans les *Trois Contes* lorsque le narrateur de *La Légende* s'exprime à la première personne, à la fin de son récit. Enfin, à la différence de la nouvelle toujours, le conte comporte des éléments merveilleux que l'on retrouve par exemple dans *La Légende* : il suffit de mentionner le combat contre la guivre, ou la scène du cerf qui parle.

DES LÉGENDES ?

Mais *La Légende de saint Julien l'Hospitalier*, qui raconte une vie de saint en transposant un vitrail, n'est pas seulement une fiction destinée à dépayser un auditoire. Les auditeurs de ce type de récit, au XIIIe siècle, tenaient pour vrai ce qui était arrivé au personnage central. Pour cette raison, le récit relève aussi de la légende.

Des fictions vraies

Le mot « légende » vient du latin *legenda*, qui signifie étymologiquement « ce qui est à lire », « ce qui doit être lu ». Au Moyen Âge, les hagiographies (vies de saints), avaient la forme de *legendae*, c'est-à-dire de récits édifiants proposant des modèles de vie. Elles contenaient souvent le récit d'actions miraculeuses. Le terme a fini par désigner tout récit racontant des faits merveilleux présentés comme vrais.

On peut donc souligner la conformité du deuxième conte du recueil avec cette définition : il s'agit bien, dans *La Légende*, de raconter un destin de pécheur qui rachète ses fautes en choisissant la retraite dans l'humilité et la rencontre avec Jésus-Christ. L'histoire de Félicité est également rapportée comme celle d'une véritable destinée exemplaire. Mais si le schéma est le même, l'intention est autre : certes, Flaubert fait passer Félicité à la postérité, il fait d'elle une légende. Mais dans ce cas précis, l'absence de fin explicitement édifiante contribue à la désacralisation de la légende de la sainte… de Pont-l'Évêque.

Le cas d'Hérodias

Les faits racontés dans *Hérodias* sont historiquement attestés (par l'historien Flavius Josephe par exemple) : cette caractéristique permettrait apparemment de classer ce conte parmi les récits historiques et non parmi les légendes. Toutefois, la présence d'événements historiquement attestés n'est pas le plus important. Il faut surtout souligner les rapports entre ce récit et certains passages du Nouveau Testament[1] : on retrouve en effet, sous la plume des évangélistes Matthieu, Marc et Luc, qui écrivent dans le dernier tiers du Ier siècle de notre ère, les mêmes personnages placés devant les mêmes enjeux[2]. Or la Bible n'est ni un livre d'histoire ni un livre comme les autres. Elle est la référence de générations de croyants qui y lisent la parole de Dieu, le livre de la Révélation. Cette importance de la

---

1. Évangile selon saint Matthieu XIV, 3-12, selon saint Marc VI, 14-29 et selon saint Luc III, 19-20 et IX, 7-9. \ **2.** Voir texte 1, p. 149.

croyance, la référence à la nouvelle Alliance qui allait se conclure entre Dieu et les hommes, modifient le statut des événements rapportés dans le texte sacré : tout ce qui y est raconté acquiert une valeur pédagogique et édifiante, chaque événement dit la force de Vérité du message divin. Il ne s'agit pas d'y rapporter objectivement des faits, mais de montrer la force de ce Verbe divin qui donne aux chrétiens le courage de surmonter les pires épreuves. La Bible rapporte donc bien aussi, à sa façon, une légende, c'est-à-dire un ensemble d'événements qu'il faut lire et propager puisqu'ils sont porteurs d'un enseignement.

Flaubert refuse lui aussi de réduire *Hérodias* à une simple chronique historique, qui témoignerait à l'égard des événements rapportés par le texte sacré d'une distance critique de libre penseur. L'écrivain, loin de se comporter en chroniqueur objectif, modifie volontairement l'Histoire afin de concentrer en une seule journée des événements étalés sur presque trente années, afin de leur donner une dimension théâtrale et spectaculaire. Antipas n'a demandé l'aide de Vitellius pour se défendre contre les armées arabes d'Arétas qu'après la décapitation de Jean-Baptiste. Vitellius ne peut être gouverneur de la Syrie au moment du récit (en 29 après J.-C.) car il n'a été nommé proconsul de Syrie qu'en 35. Hérodias ne peut s'exclamer « César nous aime ! Agrippa est en prison ! » (l. 132) puisqu'Agrippa ne fut emprisonné par Tibère que huit ans plus tard, en 37. Ainsi le récit se charge d'une dimension légendaire : nous y lisons, ramassé en une seule journée symbolique, un témoignage sur la force des croyances et du ressentiment. *Hérodias* est bien une « histoire qu'il faut lire », une légende donc, non pas parce que ce récit véhicule la force de la parole divine, mais parce qu'il témoigne de la capacité de l'art moderne à se saisir de tous les sujets.

DES NOUVELLES ?

Comme le conte, la nouvelle est un récit bref. Elle partage avec lui d'autres caractères qui les distinguent du roman (action unique et concentrée, petit nombre de personnages dont la psychologie est peu étudiée) ou les en rapprochent (il s'agit d'un récit fictif). Contrairement au conte, la nouvelle n'emprunte pas à la tradition et se caractérise par une grande fidélité au réel, un souci de vraisemblable ou de vérité.

On perçoit d'emblée qu'*Un cœur simple* répond mieux à la définition de la nouvelle qu'à celle du conte. Le XIXe siècle connaît un véritable essor de la nouvelle et cet engouement n'est pas sans rapport avec la mode des feuilletons publiés dans la presse. Chacun des trois contes a d'ailleurs été publié dans une revue avant la parution en volume : *Un cœur simple* dans *Le Moniteur* entre le 12 et le 19 avril 1877, *La Légende de saint Julien l'Hospitalier* dans *Le Bien public* entre le 19 et le 22 avril et *Hérodias* dans *Le Moniteur* entre le 21 et le 27 avril. Au XIXe siècle, la nouvelle fantastique et la nouvelle réaliste s'imposent tout particulièrement.

Le fantastique

Ce registre cherche à faire partager le trouble et le désarroi que fait naître l'intrusion d'un phénomène inexplicable dans un contexte familier. Présenté comme vraisemblable mais ne recevant aucune explication, l'événement insolite fait hésiter entre la faiblesse des explications rationnelles des hommes et l'éventualité d'une irruption du surnaturel dans le réel. Personnages et lecteurs éprouvent le doute, le malaise, la peur.

Julien baigne ainsi dans une atmosphère angoissante pendant ses deux chasses, durant lesquelles les lois habituelles n'ont plus cours. Et il n'est pas interdit de lire la fin d'*Un cœur simple* et celle de *La Légende de saint Julien l'Hospitalier* comme des dénouements fantastiques incitant à s'interroger sur le sens de la vie et sur le mystère de la mort : dans une interprétation optimiste, le personnage de chacune de ces deux nouvelles est emporté dans une apothéose glorieuse, qui donne un sens à ses souffrances et à ses malheurs passés. Mais on peut aussi considérer Félicité comme une simple d'esprit entourée de médiocres, et souligner qu'à la fin du récit, l'ambiguïté se maintient : Félicité « crut voir », non pas le Saint-Esprit, mais un perroquet gigantesque. Superstition ou foi chrétienne ? Bêtise ou béatitude[1] ? Stupidité ou spiritualité mystique ? On peut aussi envisager que Julien soit seulement transporté en imagination. Dès lors le doute et l'hésitation caractéristiques du registre fantastique s'installent dans l'esprit du lecteur, qui ne peut attribuer au dénouement un sens univoque. La présence du fantastique est certes marginale, mais ce registre n'est pas absent des *Trois Contes* et il fournit une raison pour rapprocher ces textes courts du genre de la nouvelle, puisque le conte traditionnel, on le sait, mobilise plus volontiers les ressources du merveilleux.

1. Il faut rappeler que la « béatitude » est un sentiment proche de la « félicité ».

Le réalisme

Dans la première moitié du siècle, le romantisme a exalté le moi jusqu'à l'héroïsme, fait rêver sur les grands espaces et les ruines, encouragé l'épanchement sentimental et a montré un intérêt pour le Moyen Âge et les sources historiques. En réaction à ce qui est devenu une mode complaisante, un peintre comme Courbet, vers 1850, choisit délibérément de tourner le dos aux grands sujets et de peindre toute la réalité quelle qu'elle soit, même triviale, sans souci de la morale.

En littérature, Balzac avait déjà peint des personnages issus des classes populaires : servante, bagnard, aubergiste, employés de bureau. Les écrivains de la seconde moitié du siècle poursuivent l'étude de l'interaction de l'individu avec son milieu social. Au moment où Flaubert écrit ses *Trois Contes*, Zola systématise ce type de recherche au point de donner aux romanciers qui la mènent le nom des scientifiques qui étudient les espèces vivantes : les naturalistes.

Flaubert a toujours refusé d'être classé dans une école quelconque : « Je m'abîme le tempérament à tâcher de n'avoir pas d'école ! *A priori*, je les repousse, toutes[1]. » Mais on peut parler de son réalisme, qui consiste à observer objectivement les hommes et à s'effacer dans son écriture : « Un bon romancier n'a pas le droit d'exprimer son opinion sur quoi que ce soit. » Cette prise de position est une conséquence du choix de l'écrivain de faire de l'Art la priorité des priorités, au point de tout lui sacrifier. Un livre, pour lui, doit « tenir de lui-même par la force interne de son style », un style visant la perfection plastique et sonore de chaque phrase, un style qui est « une manière absolue de voir les choses ».

Le réalisme de Flaubert (terme dont il ne voulait pas) est dans une vision globale du monde et il n'hésite pas à situer l'action d'*Hérodias* en Orient, contrée chère aux romantiques. Dans *Un cœur simple*, nous observons une servante, Félicité, déconnectée des événements politiques comme nombre de ses contemporains de province. Le cadre historique de *La Légende* est imprécis mais nous y voyons Julien remporter de nombreuses victoires militaires, mener une vie de seigneur, se marier avec la fille d'un empereur.

1. Lettre à George Sand, fin décembre 1875.

Quant à la journée racontée dans *Hérodias*, elle rappelle, en la condensant, la situation politiquement délicate dans laquelle s'est trouvé le véritable Antipas ; elle la dramatise en superposant désir érotique et tensions politiques et met en scène, comme une tragédie antique, la mécanique du destin qui va emporter un homme.

En outre, la nouvelle réaliste met en scène quelques personnages bien individualisés (les récits réunis dans ce recueil font évoluer un nombre restreint de personnages), dans un espace et une chronologie précisément situés (c'est aussi le cas dans le recueil), et cherche toujours à créer l'illusion référentielle, à donner l'impression que ce qui est raconté a véritablement eu lieu : cette intention ne se dément jamais dans les trois récits, au point que parfois, on l'a vu en parlant des apothéoses, le lecteur est d'autant moins amené à douter de la réalité de certains événements (l'apparition du perroquet) qu'ils lui sont présentés comme véridiques.

TROIS CONTES : UN RECUEIL ORGANISÉ

LE RÔLE DES TITRES

Cacher et dévoiler

Tout titre conjugue deux fonctions contradictoires : informer le lecteur (lui livrer des informations explicites) tout en piquant sa curiosité (ce qui suppose de rester dans l'implicite) : les titres choisis par Flaubert annoncent clairement des destinées particulières, en même temps qu'ils ménagent le mystère.

Un cœur simple semble annoncer une histoire tendre, un personnage touchant, dont on ne sait s'il s'agit d'une femme ou d'un homme. Comme le conte ne s'intitule pas *Félicité*, un tel titre semble promettre des considérations générales qui permettraient d'éclairer la notion de « cœur simple ». Il est également polysémique car il résume le récit de plusieurs façons : Félicité est bien la servante au grand cœur, celle que l'abnégation et l'altruisme conduisent à se sacrifier de façon de plus en plus émouvante ; elle est aussi celle dont le cœur « bat pour les autres », qui règle son rythme pour être à leur service et, dans la dernière phrase, c'est au moment où le prêtre présente l'hostie sacrée que les « mouvements de son cœur se ralenti[ss]ent un à un, plus vagues chaque fois, plus doux, comme une fontaine s'épuise ». Il n'est pas impossible non plus de faire une lecture religieuse de ce titre et d'y entendre le souvenir de certaines phrases du sermon sur la montagne de l'Évangile selon saint Matthieu (IV, 3 et 8) : « Bienheureux les pauvres d'esprit, parce que le royaume des cieux est à eux[1] » ; « Bienheureux ceux qui ont le cœur pur, parce qu'ils verront Dieu[2]. »

La Légende laisse prévoir un récit hagiographique, une part de surnaturel et de merveilleux. Au nom du héros, l'adjectif substantivé « l'hospitalier » ajoute une qualification qui semble promettre une mission d'accueil, de réconfort, voire de guérison d'autrui. Ce programme clairement annoncé par le titre est rempli au cours du récit.

En revanche, un titre comme *Hérodias* fonctionne différemment. Flaubert utilise un nom propre qui n'est compris d'emblée que des lecteurs du Nouveau Testament. C'est aussi un titre trompeur, ou du moins restrictif, car d'autres personnages méritaient d'y figurer : Iaokanann d'abord, que sa mort place sur le même plan que Julien ou Félicité ; Hérode Antipas ensuite, qui est le personnage le plus constamment présent, le plus puissant, celui par le regard duquel, le plus souvent, le narrateur donne à voir les événements ; Salomé enfin qui, instrumentalisée par sa mère, allume le désir du tétrarque et devient une figure de femme fatale.

Fédérer l'ensemble

Titres programmatiques ou énigmatiques se rejoignent donc pour désigner, plus ou moins clairement, le contenu de récits qui touchent au religieux : la vie de Félicité, le « cœur simple », prépare son apothéose finale, comme les différents moments de la vie de Julien préparent son élévation. Quant à Hérodias, elle est l'un des moyens terrestres par lesquels Dieu permet l'accession de Iaokanann à la sainteté. Même si c'est la lecture intégrale des trois récits qui permet d'établir avec certitude qu'ils posent des questions de spiritualité et qu'ils sont réunis par le thème de la sainteté, les titres annoncent aussi cette unité du recueil.

Trois Contes se définit bien comme une œuvre intégrale, voire comme un triptyque : cette volonté d'unité est remarquable, à une époque où les

1. Traduction du latin *beati pauperes spiritu.* \ **2.** La Bible, Nouveau Testament, Matthieu, traduction de Lemaître de Sacy (1613-1684), coll. « Bouquins », Robert Laffont, Paris, 1990.

auteurs de textes courts, lorsqu'ils choisissent leurs titres, en affichent parfois la cohérence ou la continuité avec une certaine désinvolture. Il n'est pas toujours facile, en effet, de définir quelle est cette « cruauté » qui contribue à fédérer les *Contes cruels* de Villiers de l'Isle-Adam ; quant à Maupassant, ses *Contes de la bécasse* ont pour principal point commun d'être racontés par des chasseurs. *Trois Contes* est une œuvre soucieuse d'affirmer, dès le choix des titres, son unité.

L'UNITÉ DU RECUEIL

Quelques échos lexicaux

Cette unité est tout d'abord perceptible au plan lexical. La présence de références à la foi chrétienne dans les trois récits entraîne en effet le retour des mêmes termes. Il est par exemple question de la présence d'un vitrail (*CS*[1], l. 375 ; *LSJ*, l. 716), d'un tabernacle (*CS*, l. 377 ; *LSJ*, l. 825), d'un prie-dieu (*CS*, l. 423 ; *LSJ*, l. 143). Les textes font allusion aux génuflexions (*CS*, l. 369 ; *LSJ*, l. 508), à la prière de l'Angélus (*CS*, l. 800 ; *LSJ*, l. 138), à Sodome et Gomorrhe (*CS*, l. 380-381 ; *H*, l. 119-120). Le symbole de la colombe est évoqué à cinq reprises (CS, l. 390, 1030 ; LSJ, l. 103, H, l. 547-548, 904), le terme « idolâtre » se retrouve plusieurs fois (*CS*, l. 1082 ; *LSJ*, l. 40 ; *H*, l. 48 et 846), il est fait mention du baptême de Jésus-Christ (*CS*, l. 1022 ; *H*, le personnage de Jean le Baptiste) : autant de choix lexicaux qui établissent l'unité de l'inspiration de ces *Trois Contes*.

Les échos lexicaux entre les textes ne se limitent pas au domaine religieux. Il est souvent question de politique, avec par exemple la mention des Parthes (*LSJ*, l. 441 ; *H*, l. 50), l'évocation de l'idée de partage du royaume (*LSJ*, l. 474 ; *H*, l. 471). Les textes font également place à la description d'objets luxueux : la pourpre (*CS*, l. 1023 ; *LSJ*, l. 509 ; *H*, l. 125), le lapis-lazuli (*CS*, l. 1194 ; *H*, l. 34), le vermeil (*CS*, l. 1190 ; *H*, l. 348). Ils ne dédaignent pas non plus d'évoquer la présence d'éléments familiers des espaces domestiques : la croisée (*CS*, l. 19 ; *LSJ*, l. 609), l'étuve (*LSJ*, l. 38 ; H, l. 158), le parloir (*CS*, l. 527 ; *LSJ*, l. 123).

1. Les titres des contes sont désignés par les initiales *CS*, *LSJ* et *H*.

Quelques échos thématiques

• Spiritualité et animalité

Les trois récits mettent en scène des personnages qui, chacun à leur manière, sont des mystiques : Félicité, Julien et Jean-Baptiste.

Mais ils ne cultivent pas seulement le thème commun de la sainteté, ils associent constamment l'humanité à l'animalité dans une série d'images récurrentes : le premier conte parle du « dévouement bestial » (l. 792-793) avec lequel Félicité chérit sa maîtresse ; le deuxième dit de Julien qu'il sent « l'odeur des bêtes farouches » (l. 257-258), qu'il « devint comme elles » (l. 258) et qu'en tuant ses parents, il « écum[e], avec des hurlements de bête fauve » (l. 730-731) ; le troisième présente Iaokanann comme une « bête malade » (l. 108), dont la tête ressemble à celle d'un « lion » (l. 201), une « bête furieuse » (l. 289), un « être humain [...] couché par terre sous de longs cheveux se confondant avec les poils de bête qui garnissaient son dos » (l. 541-542). Comme si la réclusion et la sainteté dans lesquelles Félicité, Julien et Iaokanann finissent leur vie ne devaient pas faire oublier une sympathie ou une attirance éprouvée auparavant pour la vie animale, physique, sensuelle. Comme si une tension entre aspiration spirituelle et obsession charnelle, entre sainteté et bestialité, travaillait ces contes.

• Le pouvoir de la foi : actes de parole et prophéties

Dans *Hérodias*, Iaokanann vient à peine de se manifester que Mannaeï jette un anathème au Temple de Jérusalem, « croyant que les mots avaient un pouvoir effectif » (l. 104). Un mot suffit pour faire obéir les quelque cent chevaux blancs du Tétrarque (l. 501) : dans ces épisodes, la parole apparaît porteuse de pouvoirs particuliers.

Celle de Iaokanann est redoutée par Hérodias qui assure avoir entendu de la bouche du prophète des « injures qui tombaient comme une pluie d'orage » (l. 207). Ce dernier l'empêche de vivre. Ses discours, criés à des foules, se sont répandus, ils ont une « force plus pernicieuse que les glaives » (l. 216-217). Hérode est troublé par les imprécations du prisonnier dont la voix lointaine, « échappée des profondeurs de la terre » (l. 58-59), le fait pâlir dès les premiers paragraphes. Lorsque Iaokanann annonce la venue du Messie, fils de David et d'une ère purifiée, d'une voix douce et chantante, Hérode se sent menacé et Hérodias « cherche du regard une défense autour d'elle » (l. 635), puis disparaît. Pendant le festin, l'importance à accorder aux propos messianiques est très discutée. Seul, Phanuel comprend *in extremis* la formule répétée par Iaokanann : « Pour qu'il croisse, il faut que je diminue » (l. 1124-1125). À aucun moment les personnages n'appellent Iaokanann saint Jean-Baptiste : ce sont les Latins qui le feront. Dans ce monde saturé de foi, dans ce monde où le pouvoir de la foi s'incarne dans la figure du prophète, les ennemis de la Révélation persistent dans un aveuglement coupable.

Au contraire, la sainteté de Julien ne se discute pas. Si les trois prophéties (le vieillard en froc de bure, le Bohême à barbe tressée, le cerf) sont réalisées dans ce conte, c'est parce que la parole oraculaire y est performative : elle s'accomplit par le fait même d'être énoncée. Non seulement le titre empêche de douter de la sainteté de Julien et de son destin, mais, *in fine*, le vitrail dont s'est inspiré le narrateur confirme le contenu de la croyance commune. Pour les chrétiens du XIIIe siècle, l'intervention de « Notre-Seigneur Jésus » n'est pas douteuse. Et le narrateur moderne ne prétend pas contester formellement l'existence de l'apothéose finale : tout au plus, on l'a vu, se contente-t-il d'insuffler le doute.

En revanche, le monde d'*Un cœur simple* apparaît comme désenchanté, même si la religion y est plus que jamais présente, avec ses lieux (l'église, le vitrail, le calvaire dont il est question dans le chapitre III), ses objets sacrés (l'ostensoir, l'encensoir), son clergé. Même si les prières de Félicité sont sincères et sa foi fervente, les bondieuseries de sa chambre et du reposoir renvoient à une foi dégradée, proche de la superstition : Félicité ne comprend rien aux dogmes, elle s'endort au catéchisme.

Ainsi, et c'est une nouvelle manifestation de son unité profonde, le recueil des *Trois Contes*, si on l'envisage sous cet angle, trace un parcours de la foi. Il met d'abord en scène l'époque moderne, celle de l'assourdissement progressif d'une parole sacrée devenue peu à peu inaudible à ses destinataires *(Un cœur simple)* avant de nous convier vers un passé durant lequel le lien entre les hommes et la transcendance s'affirme toujours davantage.

• La présence du bestiaire

Le bestiaire de ces *Trois Contes*, très riche, contribue lui aussi à l'unité du recueil : dans *Un cœur simple*, vingt et un termes désignent un animal, dans *La Légende de saint Julien l'Hospitalier* cent soixante, dans *Hérodias* cinquante. Au total deux cent trente et un termes animaliers, ce qui est beaucoup. Les oiseaux dominent avec soixante-deux désignations. On retrouve le singe, la colombe, le merle, le taureau, le papillon, le chien et les très bibliques âne et bœuf dans les trois textes. Serpents, poules, lapin, cheval, mules, lion, ours, vautour, aigles et perroquets figurent dans deux des trois récits.

La colombe, présente deux fois dans *Un cœur simple* et dans *Hérodias*, une fois dans *La Légende*, joue un rôle important. Utilisée par Noé dans la Genèse, souvent représentée dans des fresques grecques, romaines et paléochrétiennes, présente dans le Cantique des cantiques, elle est traditionnellement associée au Saint-Esprit dans l'iconographie chrétienne. Elle contribue à articuler les époques entre elles et à rapprocher entre eux les trois contes.

Quant au perroquet, les mots qu'il prononce résument les étapes successives de la vie de Félicité : « Charmant garçon ! Serviteur, monsieur ! Je vous salue, Marie ! » (l. 837-838), autrement dit l'idylle amoureuse avec Théodore, les cinquante années de service, la place toujours plus grande faite à la religion. Animal domestique voué au psittacisme[1], il est fait pour accompagner la vie monotone et répétitive de la domestique et les années qui s'écoulent « toutes pareilles » après la mort de Virginie. Enfin, dans certains tableaux représentant saint Jérôme en train de traduire la Bible, l'ange qui guide ce dernier prend la forme d'un perroquet. L'assimilation qu'opère Félicité entre son oiseau fétiche et le Saint-Esprit n'est donc pas totalement déraisonnable.

- Des scènes récurrentes

Des similitudes existent enfin, d'un récit à l'autre, entre certaines scènes. Ainsi, à la fin d'*Un cœur simple*, après que le prêtre a posé « son grand soleil d'or qui rayonnait » (l. 1197), « une vapeur d'azur monta » (l. 1200) et Félicité « crut voir, dans les cieux entrouverts, un perroquet gigantesque, planant au-dessus de sa tête » (l. 1205-1207). On retrouve l'évocation des rayons, du mouvement ascensionnel et de la couleur bleue à la fin de *La Légende* : les cheveux de Julien « s'allongèrent comme les rais du soleil » (l. 980), il « monta vers les espaces bleus, face à face avec Notre-Seigneur Jésus, qui l'emportait dans le ciel » (l. 987-989).

On peut également relever que l'offrande d'une femme est faite dans les trois récits : dans *La Légende*, l'empereur fait des offres de plus en plus

1. *Psittacisme* : « état d'esprit dans lequel on ne pense ou ne parle qu'en perroquet » (Littré).

époustouflantes (corbeilles d'argent, richesses, partage de son royaume) jusqu'au moment où « une jeune fille parut » (l. 478). De la même façon, dans *Hérodias*, c'est la venue d'« une jeune fille » (l. 984) qui pousse Antipas à s'engager dans une série d'offres toujours plus généreuses (« Tu auras Capharnaüm ! la plaine de Tibérias ! mes citadelles ! la moitié de mon royaume », l. 1034-1035) avant de faire décapiter Jean-Baptiste : « La tête entra ; – et mannaeï la tenait par les cheveux » (l. 1087).

Si l'on rapproche ces deux scènes d'offrande féminine de l'offre faite au jeune Paul dans *Un cœur simple*, le XIXe siècle apparaît comme une époque dénaturée, qui refoule le désir : le narrateur nous précise en effet que « [Paul] avait découvert sa voie : l'enregistrement ! et y montrait de si hautes facultés qu'un vérificateur lui avait offert sa fille, en lui promettant sa protection » (l. 1040-1043). Si le thème est commun, l'intention satirique est évidente, dans la mesure où le geste du vérificateur, dicté par le calcul le plus mesquin, est totalement dépouillé de la grandeur qui caractérisait les dons précédents. Et c'est bien la présence du même motif au sein des trois récits qui permet, par un jeu de comparaisons, de dégager le sens ironique d'un geste rapporté par le narrateur sans jugement de valeur apparent.

UNE ÉCRITURE SPÉCIFIQUE DANS LES *TROIS CONTES*

UN USAGE CLASSIQUE DES FOCALISATIONS

Dans un récit, celui qui perçoit n'est pas nécessairement celui qui raconte. Le lecteur peut prendre connaissance de l'histoire racontée à travers un prisme, une conscience qui détermine la nature ou la quantité des informations transmises. Qui perçoit ? Comment ?

On parle de « vision avec » ou de focalisation interne lorsqu'on ne peut savoir et voir que ce que sait et voit le personnage. Le lecteur est davantage renseigné sur l'état d'esprit de ce personnage que sur ce qu'il voit. Dans les *Trois Contes*, le point de vue de Félicité, de Julien ou d'Antipas est souvent celui choisi par le narrateur. Dans ce passage, c'est Félicité qui voit :

> Des femmes passèrent dans la cour avec un bard d'où dégouttelait du linge. En les apercevant par les carreaux, elle se rappela sa lessive ; l'ayant coulée la veille, il fallait aujourd'hui la rincer (l. 615-618).

On parle de focalisation externe ou de vision du dehors lorsque l'histoire est racontée de façon neutre, comme filmée au moyen d'une caméra fixe. Le lecteur sait alors moins de choses que les personnages dont les pensées lui restent inaccessibles. C'est le cas lorsque, à la fin du chapitre II de *La Légende*, Julien a l'apparence d'un moine en cagoule (l. 776-783).

Enfin, on parle de focalisation zéro ou d'absence de focalisation lorsque le narrateur donne une information complète. Le lecteur et lui en savent alors plus que les personnages : ils sont dits omniscients. Ainsi, dans *Un cœur simple*, le passage suivant n'est pas focalisé : « pour de pareilles âmes le surnaturel est tout simple » (l. 699-700).

LE STYLE DE FLAUBERT

Le texte publié par Flaubert résulte d'un long travail de réécriture par ajouts, puis par suppressions et déplacements que la génétique textuelle s'efforce de reconstituer en étudiant les milliers de pages des brouillons. Pour tendre vers la beauté littéraire, ce champion de la rature cherche une prose fluide, rythmée, musicale, poétique, en « gueulant » ses phrases à haute voix afin d'y traquer les défauts de cadence. Il écrit à Louise Colet, le 15 juillet 1853 :

> Quand je découvre une mauvaise assonance ou une répétition dans une de mes phrases, je suis sûr que je patauge dans le Faux ; à force de chercher, je trouve l'expression juste qui était la seule et qui est, en même temps, l'harmonieuse.

L'écriture flaubertienne possède certaines caractéristiques remarquables, déjà perceptibles dans les romans antérieurs, qui se retrouvent dans ce recueil.

La sobriété, l'économie de mots

Le récit a fréquemment recours à des phrases dont le schéma de construction est dépouillé à l'extrême. Dans *La Légende*, il s'agit, le plus objectivement possible, de fournir un inventaire de perceptions successives : « Le chant d'un coq vibra dans l'air. D'autres y répondirent ; c'était le jour ; et il reconnut, au-delà des orangers, le faîte de son palais » (l. 699-701). Il peut aussi s'agir d'un parti pris de sobriété à un moment clé du récit, dans *Hérodias* par exemple : « La tête entra » (l. 1087).

Le jeu de l'imparfait et du passé simple

On peut donner quelques exemples : « il se composa une armée. Elle grossit. Il devint fameux. On le recherchait » (*La Légende*, l. 438-439) ; ou encore : « Un matin que le facteur n'était pas venu, elle s'impatienta ; et elle marchait dans la salle, de son fauteuil à la fenêtre » (*Un cœur simple*, l. 551-552). Utiliser un verbe, ce n'est pas seulement situer un fait dans le passé, le présent ou le futur, c'est préciser son aspect, c'est-à-dire la manière dont ce fait se déroule : est-il envisagé comme achevé ? se répétant ? en cours d'accomplissement ? L'imparfait se signale par son aspect non accompli, parle de faits dont les limites sont imprécises : dès lors son intrusion étonne dans les contextes au passé simple, temps qui exprime au contraire l'aspect accompli, achevé d'une action. La mention des recherches dont Julien fait l'objet, celle de la marche impatiente de Mme Aubain de son fauteuil à sa fenêtre, viennent interrompre la succession des actions. Tout se passe comme si une action sortait de ses limites, se dilatait plus que nécessaire et instituait dans le récit une pause imaginaire, d'autant plus saisissante qu'elle n'est motivée par aucun critère de vraisemblance.

L'usage particulier de la conjonction de coordination « et »

Employée comme un signe de ponctuation, elle peut suivre un point-virgule : « Tel qu'un squelette, il avait un trou à la place du nez ; *et* ses lèvres bleuâtres dégageaient une haleine épaisse comme du brouillard, et nauséabonde » (*La Légende*, l. 939-941) ; « Mais cette force plus pernicieuse que les glaives, et qu'on ne pouvait saisir, était stupéfiante ; *et* elle parcourait la terrasse, blêmie par sa colère » (*Hérodias*, l. 216-218).

Elle peut aussi, parfois, être précédée d'un tiret : « Enfin il arriva, – *et* splendide » (*Un cœur simple*, l. 984). Cet usage du « et » est d'autant plus remarquable que là où nous utiliserions cette conjonction, Flaubert, en général, ne s'en sert pas.

Les versets de la Bible, dans ses diverses traductions françaises, commencent très souvent par « et ». Dans le texte 1, par exemple (p. 149), les lignes 26 et 30 débutent par ce mot qui sert davantage de syllabe initiale de verset, d'appui rythmique pour scander, que de mot de liaison. Dès lors, l'usage « biblique » que Flaubert fait du « et » n'a rien d'étonnant dans un recueil qui tire son unité des questions relatives à la foi et à la religion.

L'importance accordée aux descriptions

Les descriptions sont souvent dépourvues de fonction narrative au sens où elles n'annoncent aucun événement. Leur fonction n'est même pas toujours référentielle, au sens où il s'agirait, par leur entremise, de persuader le lecteur de la réalité de l'univers qu'elles placent sous ses yeux. Lorsqu'elles se développent à l'extrême, dans un luxe foisonnant de détails, elles sont moins des photographies du monde que des visions des personnages se développant pour elles-mêmes, comme si elles ne servaient plus qu'à dire les moments où l'être suspend son activité fébrile et s'interroge, rêve, se met à l'écoute de lui-même et du monde :

> Pas un arbre des trois cours qui n'eût des champignons à sa base, ou dans ses rameaux une touffe de gui. Le vent en avait jeté bas plusieurs. Ils avaient repris par le milieu ; et tous fléchissaient sous la quantité de leurs pommes. Les toits de paille, pareils à du velours brun et inégaux d'épaisseur, résistaient aux plus fortes bourrasques. Cependant la charreterie tombait en ruine. Mme Aubain dit qu'elle aviserait, et commanda de reharnacher les bêtes (l. 280-293).

LA RÉFÉRENCE AUX LANGAGES PICTURAL ET SCULPTURAL

Le texte et le vitrail : Félicité et Julien

• Les vitraux de Pont-l'Évêque

Dans *Un cœur simple*, le narrateur nous signale que les vitraux admirés par Félicité dans l'église de Pont-l'Évêque (que connaissait Flaubert) représentent, l'un « le Saint-Esprit domin[ant] la Vierge ; un autre la montr[ant] à genoux devant l'Enfant-Jésus » (l. 375-376). Ces motifs inspirent la servante :

> À l'église, elle contemplait toujours le Saint-Esprit, et observa qu'il avait quelque chose du perroquet. Sa ressemblance lui parut encore plus manifeste sur une image d'Épinal, représentant le baptême de Notre-Seigneur » (l. 1019-1022).

Le récit de Flaubert est une œuvre s'adressant à des lecteurs, et c'est une œuvre à l'intérieur de laquelle un personnage, Félicité, entend aussi (ou croit entendre) le message que lui délivrent d'autres œuvres (le vitrail d'abord, l'image d'Épinal ensuite). On remarque d'ailleurs que cette image d'Épinal réunit justement les actants divins des trois textes : le Saint-Esprit (mentionné dans *Un cœur simple*), Jésus-Christ (qui vient sauver Julien) et saint Jean-Baptiste (protagoniste d'*Hérodias*) – qui baptisa « Notre-Seigneur ». Dès lors, on s'aperçoit qu'il est sans cesse question, dans *Un cœur simple*, du dialogue permanent qu'une œuvre établit avec ses destinataires, qu'il s'agisse des lecteurs ou d'un personnage du récit. Ce détail narratif mentionnant le comportement de Félicité à l'église est porteur d'un sens plus large : tout se passe comme si Flaubert l'utilisait pour figurer, à travers lui, la nécessité où se trouve l'œuvre d'entrer dans un dialogue aussi permanent que risqué avec des destinataires qui, telle Félicité, risquent d'en méconnaître la grandeur ou la spiritualité…

• Le vitrail de Rouen

La dernière phrase de *La Légende*, on l'a vu, présente ce conte comme une simple transcription des images composant le vitrail offert par les poissonniers de Rouen à la cathédrale. Alors même que les sources livresques, en particulier la version écrite de la légende procurée par Voragine, ont énormément compté dans l'élaboration du texte, cette référence à une œuvre artistique réelle semble vouloir minorer la part de création qui revient à l'écrivain, en avouant tout ce que le texte de *La Légende* doit à une œuvre d'art déjà existante.

S'il est hors de question de parler de « copie », il faut en effet souligner que cette œuvre d'un maître verrier du XIIIe siècle a orienté la composition du conte. La lecture d'un vitrail se fait en effet du bas vers le haut, afin que le regard du fidèle soit guidé vers la lumière de l'ogive supérieure de la baie, et donc vers le paradis. Le vingt-huitième médaillon du vitrail représente ainsi des anges qui emportent l'âme de Julien et celle de sa femme vers un Christ en majesté. De même, à la fin du conte, « Julien monta vers les espaces bleus, face à face avec Notre-Seigneur Jésus, qui l'emportait dans le ciel », comme si le texte délivrait lui aussi un enseignement similaire à celui du vitrail. Enfin, alors que dans la légende rapportée par Jacques de Voragine, la troisième partie (pénitence et montée au ciel) correspond classiquement au tiers du récit, Flaubert joue davantage avec les masses textuelles : si les deux premières parties du conte sont de taille équivalente, la troisième est deux fois plus courte qu'elles, rappelant le rétrécissement ogival de la partie supérieure du vitrail.

Les références au langage pictural sont d'une grande importance dans le recueil de Flaubert. Le vitrail de Pont-l'Évêque engage une réflexion sur la lecture et la réception de l'œuvre, celui de Rouen permet d'identifier les principes de composition d'un des contes. Dans les deux cas, un détail narratif (il n'est en effet question de ces vitraux que dans de très courts passages) renvoie à des significations très larges, au point que l'on peut parler de mise en abyme. Cette expression empruntée à l'héraldique (la science des blasons) décrit l'effet produit par un passage textuel qui reflète plus ou moins fidèlement la composition de l'ensemble de l'histoire ou ses principes de composition. En accordant une telle importance au motif du vitrail, Flaubert transforme le statut des récits qu'il soumet à notre attention : ceux-ci ne valent pas seulement par l'histoire qu'ils nous présentent, ils se révèlent également porteurs d'une réflexion sur l'acte de création lui-même.

Le texte et le bas-relief : Hérodias

Le bas-relief du tympan nord de la cathédrale de Rouen (voir page 185) est suffisamment connu pour que Flaubert n'ait pas eu besoin d'en signaler l'existence. Ce tympan, qui représente de façon très explicite le geste du bourreau, la présentation de la tête de Jean-Baptiste dans un plat et la danse de Salomé sur les mains, est situé à deux mètres cinquante du sol, donc très visible du parvis. On peut être certain que l'écrivain l'a regardé dans son enfance.

On peut parler ici d'intersémioticité, terme qui s'emploie lorsque l'on transpose une œuvre dans un autre langage, un autre système de signes : l'épisode de Salomé nous est parvenu sur un support littéraire d'abord, sculptural et pictural ensuite. Cette sculpture grave en effet dans la pierre un épisode célèbre de l'Évangile selon saint Matthieu (XIV, 3-12), selon saint Marc (VI, 14-29) et selon saint Luc (III, 19-20 et IX, 7-9).

L'idée de faire marcher Salomé sur les mains a sans doute été inspirée à Flaubert par ce bas-relief et par une danseuse vue en Égypte. Au moment où il rédige *Hérodias*, il a vu au Salon une toile de Gustave Moreau qui transpose la même scène, *Salomé devant Hérode* (1876), ainsi que *L'Apparition*, un aquarelle du même peintre. Pour écrire ce conte, Flaubert s'est cependant inspiré avant tout de la Bible et de nombreux documents historiques, en particulier des *Antiquités judaïques* de Flavius Josèphe, historien juif né en 37 après J.-C., des *Vies des douze Césars* (vers 120 après J.-C.) de Suétone (vers 70 – vers 140) et de la *Vie de Jésus* (1863) de Renan (1823-1892). C'est donc aussi d'intertextualité qu'il faut parler dans ce cas, puisque le texte de Flaubert entame un dialogue avec d'autres textes et que la présence de plusieurs autres textes est perceptible dans l'œuvre que nous lisons.

Le bas-relief de Rouen, le tableau de Gustave Moreau, le conte de Flaubert et d'autres textes de la fin du XIXe siècle (*Hérodiade* de Mallarmé, *À Rebours* de Huysmans, *Salomé* d'Oscar Wilde illustré en 1894 par Beardsley, *Moralités légendaires* de Jules Laforgue) et du XXe siècle (« Salomé » dans *Alcools* d'Apollinaire), en dialoguant entre eux, en réécrivant l'épisode, contribuent à faire de la figure de Salomé un mythe, une nouvelle incarnation de la « femme fatale » après Ève, Judith ou Marie-Madeleine.

Dans ce conte, la présence de motifs inspirés à Flaubert par un bas-relief de la cathédrale de Rouen est riche de sens : elle signale que la création d'une œuvre d'art doit avant tout se penser en termes d'influences et de dialogue. La pensée moderne a en effet renoncé à la définition largement mythique de l'artiste inspiré, créant à partir de rien. Flaubert, dans ces contes, fait figure d'artiste moderne par excellence, puisqu'il met explicitement en scène les principes présidant à la création artistique. Là encore, les contes révèlent leur complexité puisque, sous la trame narrative, ils apparaissent comme le lieu d'une authentique réflexion sur l'acte d'écrire et de créer.

Pourquoi publier ces *Trois Contes* à la fin du XIXe siècle industriel et technique ? On peut répondre en soulignant que Flaubert se lance dans l'entreprise non seulement pour raconter des histoires, mais aussi pour faire du récit le support d'une véritable réflexion sur l'acte de créer. Il confère ainsi à ces *Trois Contes* une place toute particulière dans l'histoire de ce genre narratif.

GROUPEMENT DE TEXTES : L'ÉCRITURE ET LE TRAVAIL DU STYLE

TEXTE 5 • *Hérodias*, chapitre I

La citadelle de Machærous [...] fit pâlir le Tétrarque.

> LIGNES 1-59, PAGES 91-94

L'organisation d'un incipit

1. À partir du troisième paragraphe, qui voit quoi ? d'où ? dans quelles directions successives ?

2. Quel est l'intérêt de faire débuter la narration à l'aube ? Quels rôles jouent les couleurs ? les noms propres ?

3. Quelle est la situation d'Hérode face aux Romains ? aux Arabes ? aux Juifs ? à Iaokanann ?

TEXTE 6 • *Un cœur simple*, chapitre III

Le pharmacien lui apprit [...] – « Bon ! encore un ! »

> LIGNES 571-633, PAGES 28-30

Changements de point de vue et de mode de discours

1. Relevez des paroles rapportées au discours indirect libre.

2. Notez des phrases qui relèvent de la focalisation externe, de la focalisation interne, du point de vue omniscient. Justifiez ces choix et commentez les effets produits.

3. Montrez que dans tout le texte le narrateur, loin d'ironiser, est proche de son personnage, ce qui accentue la charge émotionnelle ressentie par le lecteur.

TEXTE 7 • *La Légende de saint Julien l'Hospitalier*, chapitre III

Et cette voix haute [...] dans mon pays.

> LIGNES 901-991, PAGES 85-88

Un explicit[1] imprégné de merveilleux chrétien

1. Pour quelle raison le lépreux multiplie-t-il les exigences ?

2. Comment Julien réagit-il ? Pourquoi ?

3. Quels faits relèvent du surnaturel ?

4. Quelle prédiction cet explicit réalise-t-il ?

TEXTE 8 • *La Légende de saint Julien l'Hospitalier*, chapitre II

Les vitraux garnis de plomb [...] et finit par disparaître.

> LIGNES 716-783, PAGES 78-81

Une mort violente : dramatisation et changements de tempo narratif

1. Quelle prédiction cet épisode accomplit-il ?

2. Quel rôle joue la fatalité dans ce passage ?

1. *Explicit* : mot latin signifiant « ici se termine l'ouvrage », désignant la fin d'un texte.

3. Sur quelle durée s'étend-il ? Pour quelle raison y a-t-il une ellipse entre le moment où Julien découvre la vérité et le moment où il se présente devant sa femme ?

4. Dans quelles phrases peut-on parler de discours indirect libre ? de focalisation externe ? Quel est l'effet produit ?

5. Comparez ce passage avec l'extrait de *La Légende dorée* (p. 150) ; montrez que la réécriture de Flaubert a dramatisé le récit.

TEXTE 9 • *Hérodias*, chapitre III

Les convives [...] composition réservée aux usages du Temple.

> LIGNES 738-791, PAGES 119-121

Une description ordonnée pour rendre le cadre et l'atmosphère du sacrifice

1. Relevez des détails conformes à la vérité historique (costumes, architecture, mets, noms propres cosmopolites).

2. Faites le plan de cette description en vous aidant du vocabulaire du cinéma (plan d'ensemble, travelling avant, zoom avant, plan rapproché, gros plan, contre-plongée).

3. Commentez les comparaisons et les métaphores.

4. Relevez tous les indices d'un luxe tapageur et de mœurs corrompues.

5. Relevez tout ce qui théâtralise ce banquet (scène, décor, lumières, maquillages, figurants et acteurs).

6. Indiquez quelle est la fonction de cette description dans l'économie du récit.

VERS L'ÉPREUVE

ARGUMENTER, COMMENTER, RÉDIGER

L'étude de l'argumentation dans l'œuvre intégrale privilégie deux objets :

▪ L'argumentation dans l'œuvre. *Chaque genre littéraire, chaque œuvre intégrale exprime un point de vue sur le monde. Un roman, une pièce de théâtre, un recueil de poésies peuvent défendre des thèses à caractère esthétique, politique, social, philosophique, religieux, etc. Ordonner les épisodes d'une œuvre intégrale, élaborer le système des personnages, recourir à tel ou tel procédé de style, c'est aussi, pour un auteur, se donner les moyens d'imposer un point de vue ou d'en combattre d'autres. Ce premier aspect est étudié dans une présentation synthétique, adaptée à la particularité de l'œuvre étudiée.*

▪ L'argumentation sur l'œuvre. *Après publication, les œuvres suscitent des sentiments qui s'expriment dans des lettres, des articles de presse, des ouvrages savants… Chaque réaction exprime donc un point de vue sur l'œuvre, loue ses qualités, blâme ses défauts ou ses excès, éclaire ses enjeux. Une série d'exercices permet d'analyser des réactions publiées à différentes époques, dans lesquelles les lecteurs de l'œuvre, à leur tour, entendent faire partager leurs enthousiasmes, leurs doutes ou leurs réserves. Quelle vision du monde, quelles valeurs une œuvre véhicule-t-elle, et comment se donne-t-elle les moyens de les diffuser ? Quelles réactions a-t-elle suscitées, et comment les lecteurs successifs ont-ils voulu imposer leurs points de vue ? L'étude de l'argumentation dans l'œuvre et à propos de l'œuvre permet de répondre à cette double série de questions.*

L'ARGUMENTATION DANS LES *TROIS CONTES*

On l'a vu plus haut[1], ces trois récits sont peut-être plus ambigus que ne le croyaient le public et les critiques de 1877. Bien qu'ils se terminent par une

1. Voir « La réception de l'œuvre », p. 147.

hallucination, une vision, un miracle ou une prédiction, ils ne peuvent seulement faire l'objet d'une lecture hagiographique, édifiante et chrétienne.

PARADOXES ET AMBIGUÏTÉS

Hérode et Jean-Baptiste : un combat douteux

Deux siècles après que La Fontaine a débuté et résumé sa fable « Les deux Coqs » par la formule « Amour, tu perdis Troie », *Hérodias* met en scène la soumission au désir, l'homme en proie au destin. Pour mieux faire apparaître la puissance du désir, Flaubert enferme le personnage d'Hérode dans un jeu de forces, ou plutôt le laisse s'enferrer seul. Entre Hérodias et lui, le désir s'est émoussé et un désaccord sur le sort à réserver au « prisonnier » Iaokanann les sépare. Le Tétrarque est fasciné par les pouvoirs du prophète : « Sa puissance est forte !... Malgré moi, je l'aime ! » (l. 294). Son épouse, furieuse contre celui qui blâme son mariage irrégulier, veut se venger et, dans ce dessein, va se servir de la fille qu'elle a eue d'Hérode Philippe.

Au conflit conjugal s'ajoutent les frictions politico-religieuses : les exigences de Rome incarnées par Vitellius, les protestations des différents partis juifs, la menace arabe, l'annonce d'un Messie. On peut même ajouter une observation des astres mal interprétée : Phanuel « augurait la mort d'un homme considérable, cette nuit même, dans Machærous » (l. 700-701). Deux millénaires de christianisme permettent aux lecteurs de comprendre que l'originalité de Flaubert a consisté à placer son narrateur du côté des idolâtres, des païens cruels et non du côté du martyr.

En clôturant le récit sur une remarque qui concerne le poids de la tête de Jean, ce narrateur se signale par son refus de prendre parti. Grâce à la focalisation externe, il s'absente totalement de son récit. Mais ce serait oublier la phrase précédente : « Et tous les trois, ayant pris la tête de Iaokanann, s'en allèrent du côté de la Galilée. » L'ambiguïté est là : c'est bien aussi de la diffusion du message christique qu'il est question dans le récit ; et si l'on ne nous montre la « croissance » de Jésus que sous l'angle de la « décroissance » de saint Jean-Baptiste (puisque l'une et l'autre, on le sait, sont liées), c'est tout de même de Jésus qu'on nous parle. Dès lors, l'ambiguïté de ce texte est patente, puisqu'il abandonne Hérode et Jean-Baptiste dans une situation qui peut se lire à la fois comme une victoire et une défaite pour chacun d'eux : il produit ainsi un effet de transcendance.

Flaubert condamne-t-il son siècle, ou toutes les époques ?

Dans chacun des récits, on peut relever que la générosité et l'humanité des personnages sont en proportion inverse de leur fortune : Félicité vit dans la pauvreté mais elle se montre le personnage le plus charitable sa vie durant. Julien est longtemps un seigneur au sort enviable, mais il assouvit ses instincts violents par des carnages injustifiés. Devenu pauvre et ascète, il se met au service de tous et se sacrifie. Le puissant Tétrarque Hérode, en revanche, ne sait pas résister à l'appel de ses sens et fait décapiter saint Jean-Baptiste.

On peut interpréter ces choix narratifs en rappelant l'évolution de la notion de héros : au XIXe siècle, les valeurs ne sont plus portées par les aristocrates, les modèles ne sont plus des princes admirables ni des héros d'épopée. Le personnage principal d'un récit peut avoir un statut social médiocre : Félicité vaut Hérode. Dès lors, les souffrances infligées à la servante doivent être prises au sérieux, et sont autant d'accusations qu'il convient de lancer à la face du siècle : dans *Un cœur simple*, c'est le XIXe siècle dans son ensemble qui serait mis à l'index, comme une époque déshumanisante, ignorant les vertus des humbles, incapable de pitié, uniquement préoccupée de profit, à la différence des siècles médiévaux et antiques représentés dans les deux autres récits.

Mais sans doute est-il plus pertinent de considérer que, dans les *Trois Contes*, toutes les époques possèdent malgré tout des caractéristiques communes. Dans chacun des récits, c'est un même refus de l'injustice, c'est une même dénonciation des défauts du monde qui s'exprime : la mort d'une pauvre servante anonyme révèle l'égoïsme d'une société *(Un cœur simple)*, une mort horrible venant conclure une existence éprouvante est sublimée par la foi *(La Légende de saint Julien l'Hospitalier)*, une mort dont la barbarie est exhibée ouvre pourtant une nouvelle ère *(Hérodias)*. Dans tous les récits, Flaubert nous communique son aversion pour la violence, la cruauté sociale, la bêtise. Et il ne cherche à racheter personne, ni croyance ni époque quelle qu'elle soit.

AVANT TOUT : LA RECHERCHE DE LA BEAUTÉ

L'étude des milliers de pages des brouillons et scénarios permet de comprendre que la première intention de Flaubert n'est pas de prouver, de démontrer, convaincre, persuader, ni de plaider une cause. Il veut seulement composer une forme esthétique définie par sa beauté et se veut au seul service de l'art. Pour cette raison, il a choisi le non-engagement, la distance par rapport à l'actualité, à l'éphémère.

Dès lors, la référence à la beauté permet de supporter la vie au milieu d'une réalité plate, sordide, bête. L'artiste est dans l'impossibilité de supporter les choses telles qu'elles sont, il ne peut s'en accommoder. C'est son insatisfaction qui est créatrice. C'est sans doute de cela que Flaubert nous convainc et nous persuade quand nous le lisons. L'œuvre elle-même fait naître l'émotion et, si le lecteur le décide, une moralité. L'opinion de l'écrivain n'intéresse personne. Son cœur inspire son œuvre, mais il ne doit pas apparaître. Flaubert écrit à George Sand, en décembre 1875 :

> Je ne fais pas « de la désolation » à plaisir, croyez-le bien ! mais je ne peux pas changer mes yeux ! Quant à mes « manques de conviction », hélas ! Les convictions m'étouffent. J'éclate de colère et d'indignation rentrées. Mais, dans l'idéal que j'ai de l'Art, je crois qu'on ne doit rien montrer des siennes et que l'artiste ne doit pas plus apparaître dans son œuvre que Dieu dans la nature. L'homme n'est rien, l'œuvre tout ! Cette discipline, qui peut partir d'un point de vue faux, n'est pas facile à observer. Et pour moi, du moins, c'est une sorte de sacrifice permanent que je fais au bon goût. Il me serait bien agréable de dire ce que je pense et de soulager le sieur Gustave Flaubert par des phrases ; mais quelle est l'importance dudit sieur ?

Ce parti pris d'impartialité et d'impersonnalité de l'auteur par rapport à son œuvre a souvent été considéré par la critique comme l'un des traits les plus marquants des textes de Flaubert. Il ne faut pas s'étonner de le retrouver dans les *Trois Contes*. Nous avons été amenés à plusieurs reprises à insister sur l'ambiguïté des textes, tant en ce qui concerne leur portée globale que le sens de tel ou tel épisode. Notre inaptitude à conclure de manière univoque s'explique par le fonctionnement de récits plus soucieux de révéler leur perfection formelle ou la qualité de leur style que le secret des pensées intimes de leur auteur.

GROUPEMENT DE TEXTES : JUGEMENTS CRITIQUES

Les jugements et réflexions réunis ci-dessous ont été formulés à l'époque de la publication des *Trois Contes*. Lisez-les et répondez aux questions posées.

TEXTE 10 • Théodore de Banville, *Le National*, 14 mai 1877

Les *Trois contes* ne sont pas cependant des contes détachés ; ils sont unis au contraire par un lien étroit, qui est l'exaltation de la charité, de la bonté inconsciente et surnaturelle.

TEXTE 11 • Édouard Maynial, *Flaubert :* Trois Contes

Classiques Garnier, 1956.

Entre les trois récits qui forment les *Trois Contes*, il paraît d'abord difficile d'établir un lien, si l'on s'en tient à l'extérieur du sujet.

Laquelle de ces deux thèses opposées vous semble la plus convaincante ? Vous répondrez dans un paragraphe argumenté.

TEXTE 12 • Henry Houssaye, *Journal des débats*, 21 juillet 1877

Fils du poète Arsène Houssaye, historien, romancier, élu académicien en 1894, Henry Houssaye (1848-1911) collaborait à la *Revue des Deux Mondes* et au *Journal des débats*.

Dans le premier de ces *Trois Contes*, M. Gustave Flaubert paraît vouloir prouver qu'un artiste habile peut faire quelque chose de rien. Le limon devient marbre sous l'ébauchoir du sculpteur. Quoi de moins intéressant, de plus banal, de plus atténué que ce *Cœur simple*, histoire d'une servante qui s'est, à dix-huit ans, mise au service d'une bourgeoise de Pont-l'Évêque et qui a vécu là une vie de cinquante années, s'incrustant dans la petite maison comme le mollusque au rocher ! [...] Et pourtant, à force d'art et de talent, M. Gustave Flaubert a fait de cela un touchant récit, qui inspire une triste et profonde impression. Quand on a lu quelques pages, on s'incarne dans cette simple d'esprit. On vit sa vie de dévouement et d'abnégation. On se plaît à suivre cette monotone existence. On partage les chagrins et les petites joies de la servante.

On la voit au travail ; on va avec elle renouveler les fleurs de la
15 tombe où repose Virginie ; on a, comme Félicité, « des dialogues
avec le perroquet. » [...]

Mais si d'*Un cœur simple*, M. Flaubert a fait un merveilleux
tableau de genre, traité avec la largeur et la fermeté d'un tableau
d'histoire, d'*Hérodias*, grande page d'histoire s'il en fut, il n'a fait
20 qu'une toile de genre. Le drame se réduit à la longue description
d'un festin où l'on mange des merles roses et des courges au miel
et où l'on boit des vins de palmes et de tamaris. Des personnages
secondaires, comme le consul Vitellius et son fils Aulus, comme
le bourreau Mannaeï et l'Essénien Phanuel usurpent les premiers
25 rôles, rejettent presque au second plan Hérode et Hérodias,
Salomé n'est là qu'une fugitive apparition, et pour saint Jean-Baptiste, auquel M. Flaubert, sans doute, au grand effarement des
lecteurs, restitue son nom hébreu de Iaokanann, il reste toujours,
si l'on peut dire, à la cantonade. Il faut louer d'ailleurs, dans cette
30 nouvelle, la splendeur des descriptions, l'art avec lequel est esquissée la silhouette du jeune Vitellius, « cette fleur des fanges de
Caprée », comme l'appelle M. Flaubert, l'éloquence véhémente,
inspirée des paroles prophétiques que l'auteur prête à saint Jean-Baptiste, enfin mille autres beautés de détail. Il faut reconnaître
35 aussi le caractère de grandeur de ce conte ; mais c'est la grandeur
d'une vision de l'Apocalypse. C'est obscur, confus, diffus. Quand
on a lu cela, on n'en sait pas plus qu'auparavant sur Hérodias,
Salomé, saint Jean-Baptiste et le tétrarque de Galilée.

1. Relevez les métaphores et précisez leur rôle dans l'argumentation.

2. Commentez l'emploi du pronom « on » dans cet article.

3. Quels reproches le critique adresse-t-il à *Hérodias* ? Vous semblent-ils fondés ? Vous répondrez dans un paragraphe argumenté.

TEXTE 13 • Hippolyte Taine, lettre à Gustave Flaubert du 4 mai 1877

Hippolyte Taine (1828-1893) a été l'un des grands penseurs français du dernier tiers du XIXe siècle. Philosophe, critique littéraire, critique d'art, psychologue, historien, il a tenté d'étendre la méthode scientifique à des domaines nouveaux (morale, critique littéraire, histoire) et a su montrer que l'art n'est pas sans rapport avec l'état social ou la philosophie latente d'un pays.

Ces 80 pages m'en apprennent plus sur les alentours, les origines et le fond du christianisme que l'ouvrage de Renan ; pourtant vous savez si j'admire ses *Apôtres*, son *Saint Paul* et son *Antéchrist*. Mais la totalité des mœurs, des sentiments, du décor ne peut être ren-
5 due que par votre procédé et votre lucidité. À force d'art, et par le style, vous avez esquivé les plus grandes difficultés, levées de l'horreur et de l'indécence ; [...] on voit Vitellius et Salomé, et il n'y a pas de gros mots, ni de mots crus ; pourtant rien n'est omis, les deux attitudes essentielles de Salomé y sont et même le hurle-
10 ment de Jean. [...] Magnifique le passage sur les chevaux et leur écurie souterraine percée de lumière. Tous les mots du festin y sont précieux, et à étudier, à savourer pour sentir ce monde que vous avez fait revivre.

1. Résumez en quelques lignes les thèses développées respectivement par l'historien Taine et par le critique Houssaye.

2. Comment expliquez-vous leurs différences d'appréciation de l'œuvre de Flaubert ?

TEXTE 14 • Ferdinand Brunetière, *Revue des Deux Mondes*, 15 juin 1877

Historien de la littérature et critique français, Ferdinand Brunetière (1849-1906) collabora à la *Revue des Deux Mondes* et enseigna à l'École normale supérieure et à la Sorbonne. Positiviste et évolutionniste, épris d'idéal classique, convaincu que l'art et la morale ne peuvent être dissociés, il s'opposa à Baudelaire, aux parnassiens et à Zola.

Dans la forme, ai-je besoin de dire que c'est toujours la même habileté d'exécution, trop vantée d'ailleurs, – le même scrupule ou plutôt la même religion d'artiste, mais aussi la même préoccupation de l'effet trop peu dissimulée, – la même tension du style, pénible,
5 fatigante, importune, les mêmes procédés obstinément matérialistes ? Les lecteurs de M. Flaubert n'auront pas de peine à reconnaître, dans *Un cœur simple*, les longues énumérations monotones : « Au matin, la ville se remplissait d'un bourdonnement de voix, où se mêlaient des hennissements de chevaux, des bêlements

10 d'agneaux, des grognements de cochons » ; dans *La Légende de saint Julien l'Hospitalier* ces litanies interminables de noms et de costumes : « Il combattit des Scandinaves recouverts d'écailles de poissons, des nègres munis de rondaches en cuir d'hippopotame, des Indiens couleur d'or…, les Troglodytes et les anthropo-
15 phages » ; dans *Hérodias* ces comparaisons multipliées : « Elle dansa, comme les prêtresses des Indes, comme les Nubiennes des cataractes, comme des bacchantes de Lydie. » S'ils cherchent bien, ils reconnaîtront ces effets encore d'harmonie imitative : « Ses sabots, comme des marteaux, battaient l'herbe de la prairie », qua-
20 lifiés, comme on le sait, de vaine et puérile affectation chez les écrivains du temps jadis, admirables, à ce qu'il paraît, dans la prose de M. Flaubert. C'est que dans l'école moderne, quand on a pris une fois le parti d'admirer, l'admiration ne se divise pas, et l'on a contracté du même coup l'engagement de trouver tout admirable.

1. Quels reproches Brunetière adresse-t-il à Flaubert ?

2. À quels procédés argumentatifs recourt-il ?

3. Son point de vue vous paraît-il convaincant ? Vous répondrez dans un paragraphe argumenté.

TEXTE 15 • Guy de Maupassant, préface à l'édition des lettres de Gustave Flaubert à George Sand

Éditions Charpentier et Cie, 1884, Paris.

Maupassant (1850-1893), que Flaubert considérait comme un « disciple », a bien connu l'écrivain. Dans cette préface à un recueil de lettres de Flaubert adressées à George Sand, paru en 1884, il explique comment celui qu'il appelait « le Vieux » travaillait.

Il se mettait à écrire, lentement, s'arrêtant sans cesse, recommençant, raturant, surchargeant, emplissant les marges, traçant des mots en travers, noircissant vingt pages pour en achever une, et, sous l'effort pénible de sa pensée, geignant comme un scieur de
5 long.

Quelquefois, jetant dans un grand plat d'étain oriental rempli de plumes d'oie soigneusement taillées la plume qu'il tenait à la main, il prenait la feuille de papier, l'élevait à la hauteur du regard,

et, s'appuyant sur un coude, déclamait d'une voix mordante et
10 haute. Il écoutait le rythme de sa prose, s'arrêtait comme pour saisir une sonorité fuyante, combinait les tons, éloignait les assonances, disposait les virgules avec science comme les haltes d'un long chemin.

« Une phrase est viable, disait-il, quand elle correspond à toutes
15 les nécessités de la respiration. Je sais qu'elle est bonne lorsqu'elle peut être lue tout haut. »

« Les phrases mal écrites, écrivait-il dans la préface des *Dernières Chansons* de Louis Bouilhet, ne résistent pas à cette épreuve ; elles oppressent la poitrine, gênent les battements du cœur et se trou-
20 vent ainsi en dehors des conditions de la vie. »

Mille préoccupations l'assiégeaient en même temps, l'obsédaient et toujours cette certitude désespérante restait fixe en son esprit : « Parmi toutes ces expressions, toutes ces formes, toutes ces tournures, il n'y a qu'une expression, qu'une tournure et
25 qu'une forme pour exprimer ce que je veux dire. » [...]

Lorsqu'il lut à ses amis le conte intitulé : *Un cœur simple*, on lui fit quelques remarques et quelques critiques sur un passage de dix lignes, dans lequel la vieille fille finit par confondre son perroquet et le Saint-Esprit. L'idée paraissait subtile pour un esprit de pay-
30 sanne. Flaubert écouta, réfléchit, reconnut que l'observation était juste. Mais une angoisse le saisit : « Vous avez raison, dit-il, seulement... il faudrait changer ma phrase. »

Le soir même, cependant, il se mit à la besogne ; il passa la nuit pour modifier dix mots, noircit et ratura vingt feuilles de
35 papier, et, pour finir, ne changea rien, n'ayant pu construire une autre phrase dont l'harmonie lui parût satisfaisante. Au commencement du même conte, le dernier mot d'un alinéa, servant de sujet au suivant, pouvait donner lieu à une amphibologie. On lui signala cette distraction ; il la reconnut, s'efforça de modi-
40 fier le sens, ne parvint pas à retrouver la sonorité qu'il voulait, et, découragé, s'écria : « Tant pis pour le sens ; le rythme avant tout ! »

Étudiez dans ce texte les procédés argumentatifs au moyen desquels Maupassant tente de suggérer la réalité du travail de l'écrivain (étudiez notamment les effets de mise en scène, le rôle des citations, des propos attribués, des comparaisons et énumérations).

TEXTE 16 • Pierre-Marc de Biasi, *Flaubert l'homme-plume*

Coll « Découvertes », Gallimard, 2002.

Spécialiste de Flaubert et de génétique textuelle (discipline qui étudie les manuscrits, les brouillons et les ratures des écrivains), directeur de recherche au CNRS, Pierre-Marc de Biasi enseigne dans les universités Paris IV et Paris VII.

Plus savant en histoire des religions que la plupart des écrivains de son siècle, passionné des nouvelles découvertes de la mythographie[1], convaincu que les spiritualités constituent le socle le plus ancien et le plus profond de toute culture, Flaubert l'agnos-
5 tique, le mécréant, l'anticlérical a consacré une bonne partie de son œuvre à comprendre ce que c'est que croire et que faire croire, en développant son champ de recherche de l'Antiquité à l'époque moderne, avec une systématicité troublante : le paganisme et les cultes puniques dans *Salammbô*, les enjeux du pouvoir politique
10 et de la foi dans la Judée romaine de l'âge évangélique avec *Hérodias*, les conflits entre monothéisme et polythéisme, la confusion des hérésies et l'érémitisme[2] des premiers siècles chrétiens dans *Saint Antoine*, la naissance de l'hagiographie médiévale et le syncrétisme[3] dans *Saint Julien*, le christianisme contemporain
15 dans *Madame Bovary* et *Un cœur simple*, l'histoire et le système même des croyances dans *Bouvard et Pécuchet*. Or cet expert en sciences religieuses, acharné à ressusciter les croyances les plus extravagantes, ne croyait pas à la survie (« l'immortalité a été inventée par la peur de mourir et le regret des morts »), n'avait
20 qu'une piètre opinion des monothéismes contemporains (ils se représentent tous Dieu sous les traits d'« un monarque oriental entouré de sa cour »), était persuadé que la superstition faisait le fond du sentiment religieux moderne.

---

1. La mythographie étudie les mythes tels qu'ils apparaissent dans les récits antiques. \ 2. *Érémitisme* : ascétisme, vie solitaire menée par les ermites dans le désert. \ 3. *Syncrétisme* : manière globale et indifférenciée d'appréhender les idées et les croyances ; ici, P.-M. de Biasi pense à la diversité perceptible dans *La Légende de saint Julien*, où la prédiction faite par un bohémien renvoie à un merveilleux païen, alors que le dénouement relève plutôt du merveilleux chrétien.

1. Quel paradoxe ce texte met-il en valeur ?

2. Selon ce jugement critique, quel est l'intérêt principal du recueil des *Trois Contes* ?

3. Partagez-vous l'opinion exprimée par le critique, ou pensez-vous que l'intérêt des *Trois Contes* réside ailleurs ? Vous exposerez votre réponse dans un paragraphe argumenté.

SUJETS

INVENTION ET ARGUMENTATION

Sujet 1 : analyse d'image (page 185)

1. Dans quel sens le bas-relief de la cathédrale de Rouen se lit-il ?

2. Combien de fois la tête de Jean-Baptiste est-elle représentée ?

3. Qui sont les personnages de la partie gauche ?

4. Quelles sont les quatre scènes que le sculpteur a représentées ? Pouvez-vous justifier ce choix ?

Sujet 2 : analyse d'image (page 185)

1. La colombe apparaît à cinq reprises dans les *Trois Contes*. Laquelle de ces cinq apparitions vous paraît la mieux illustrée par ce fragment de fresque ?

2. Quels caractères de cet animal ont pu en faire un oiseau symbolique ? un oiseau divinisé ?

Sujet 3

Vous concevrez et rédigerez la quatrième de couverture d'une édition scolaire des *Trois Contes*.

■ Indications pour traiter le sujet

Vous veillerez à varier les types d'informations visant à déclencher un réflexe d'achat : citations extraites des récits, résumé respectant le suspense, rappel sur le programme des lycées, extrait d'une critique élogieuse fictive, etc.

Bas-relief du tympan nord de la cathédrale de Rouen.
Ph © collection Roger-Viollet.

Fresque de la seconde moitié du IVe siècle avant Jésus-Christ.
Ph © Musée de Thessalonique/Archives Hatier.

Sujet 4

Après la mort de Virginie et celle de Victor, vous imaginez la discussion qui a conduit à prendre la décision d'offrir le perroquet à Mme Aubain à la fin du chapitre III. Vous rapporterez dans un récit l'ensemble de ces échanges entre des membres de la famille du sous-préfet et, le cas échéant, avec des personnages habitant Pont-l'Évêque. Dans ces échanges, se confronteront les arguments des opposants et des partisans du cadeau.

■ Indications pour traiter le sujet
Réutilisez des données présentes dans le texte de Flaubert, évoquez le travail de Félicité chez Mme Aubain, sans oublier la question du bonheur du perroquet.

Sujet 5

Vous êtes un journaliste chargé de « couvrir » la procession de la Fête-Dieu à Pont-l'Évêque pour la gazette qui avait déjà fait connaître l'arrivée de Victor à La Havane. À la fin de la cérémonie, vous apprenez la mort de Félicité et vous décidez d'en parler dans votre article.

■ Indications pour traiter le sujet
Votre enquête pourra débuter par des éclaircissements sur la présence de Loulou dans le reposoir. Elle peut aussi vous conduire à interroger la Simonne, Fabu, l'apothicaire, Fellacher, voire les trois demoiselles de Larsonnière.

COMMENTAIRES

Les extraits choisis pour faire l'objet de commentaires sont accompagnés d'un questionnaire de lecture visant à dégager une cohérence dans l'approche, une problématique possible pour l'analyse du texte et pour la rédaction du devoir.

Sujet 6

TEXTE 17 • *Un cœur simple*, chapitre III

Un lundi, 14 juillet 1819 [...] rouler sur les flots !

> LIGNES 493-532, PAGES 25-27

Après avoir répondu aux questions qui suivent, vous présenterez un commentaire de ce texte.

■ Indications pour traiter le sujet.
Vous montrerez que le monde de Félicité et celui vers lequel s'en va son neveu ne peuvent se rencontrer, et que la dévotion religieuse est son seul refuge contre la douleur de la séparation.

1. Quel est le plan du passage ?

2. Comment le passage du temps est-il indiqué ?

3. Pour quelles raisons Félicité se perd-elle ?

4. À quel moment la focalisation interne commence-t-elle ? Quel est l'effet produit ?

5. Relevez des indices permettant d'anticiper les séparations à venir.

Sujet 7

TEXTE 18 • *Un cœur simple,* chapitre V

Une sueur froide [...] planant au-dessus de sa tête.

> LIGNES 1162-1207, PAGES 48-50

Après avoir répondu aux questions qui suivent, vous présenterez un commentaire de cette fin de conte.

■ Indications pour traiter le sujet.
Vous montrerez qu'on peut lire ce passage comme une apothéose mais aussi comme l'agonie d'une servante oubliée de tous.

1. Comment expliquez-vous que le récit alterne l'évocation de l'agonie de Félicité et la description du reposoir de la Fête-Dieu ? Qui voit ? Qui entend ?

2. Dans les dernières lignes du conte, montrez comment le récit fait coïncider la mort de la servante et le moment du plus grand recueillement dans la procession.

3. Félicité, sourde et aveugle, est-elle totalement coupée du monde extérieur ? Montrez comment le récit suggère qu'elle « suit » la cérémonie.

Sujet 8

TEXTE 19 • *La Légende de saint Julien l'Hospitalier,* chapitre I

Toujours enveloppé [...] Les époux se cachèrent leur secret.

> LIGNES 41-99, PAGES 55-57

Après avoir répondu aux questions qui suivent, vous présenterez un commentaire de ce texte

■ Indications pour traiter le sujet.
Vous montrerez que la naissance de Julien, entourée de circonstances particulières et placée sous le signe de présages, annonce un destin exceptionnel aux parents et aux lecteurs.

1. Relevez, dans ce passage, tous les éléments qui font penser à un conte merveilleux. Montrez en particulier que la conception de Julien n'est pas aisée et que la célébration de sa naissance a quelque chose d'outré.

2. Comparez les deux présages (circonstances, devins, réaction secrète de la mère, réaction secrète du père, contenu des oracles). Quel lien existe-t-il entre ces présages et la personnalité des parents ? En quoi sont-ils trompeurs pour eux ? Quelle part de vérité contiennent-ils ?

Sujet 9

TEXTE 20 • *Hérodias*, chapitre III

Sur le haut de l'estrade [...] s'affaissa sur lui-même, écrasé.

> LIGNES 992-1052, PAGES 129-131

Après avoir répondu aux questions qui suivent, vous présenterez un commentaire de ce texte.

Indications pour traiter le sujet.
Vous montrerez que le Tétrarque ne peut échapper au piège final de cette tragédie politico-érotique.

1. Quelle est la composition de ce passage ?

2. Quels procédés permettent de traduire la sensualité de la danse de Salomé ? Commentez notamment les comparaisons.

3. Comment la montée du désir chez Hérode est-elle traduite dans le récit ?

4. Quels points de vue successifs le récit adopte-t-il entre « Le Tétrarque se perdait dans un rêve » et « Elle en était sûre, maintenant ! » ?

DISSERTATIONS

Sujet 10

Flaubert écrit à Mlle Leroyer de Chantepie le 18 mars 1857 : « L'artiste doit être dans son œuvre comme Dieu dans la création, invisible et tout-puissant, qu'on le sente partout, mais qu'on ne le voie pas. » De son côté, l'historien et critique Hippolyte Taine, qui vient de lire les *Trois Contes*, écrit à Flaubert le 4 mai 1877 : « Votre calme, votre perpétuelle absence est toute-puissante ; comme disait Tourgueniev, cela coupe le fil ombilical qui rattache presque toujours une œuvre à son auteur. »
Pensez-vous qu'un écrivain puisse et doive être absent de son œuvre ?

■ Indications pour traiter le sujet.
Taine et Tourgueniev semblent d'accord avec Flaubert sur un point : mieux vaut pour la puissance d'évocation et de suggestion d'une œuvre que son créateur y apparaisse le moins possible. Comme si les singularités biographiques en restreignaient la portée. Il faut en déduire que cette « absence » est la condition pour qu'existe une œuvre d'art véritable, une création cohérente et puissante, qui rivaliserait presque avec celle de Dieu, du moins par son pouvoir d'évocation : sans doute Taine admire-t-il le travail d'écrivain de Flaubert.
Mais cette « absence » est-elle véritable ? sans doute pas. L'impassibilité et l'impersonnalité de l'œuvre donnent certes au lecteur toute sa place ; mais Flaubert dit bien qu'on doit « sentir » l'artiste « partout », autrement dit, que son style apparaisse dans sa radicale originalité, qu'il soit invention et dépassement. Bien que les modes de vie antique et médiéval mis en scène dans les *Trois contes* soient éloignés de ceux des lecteurs du XIXe, du XXe et du XXIe siècles, le langage littéraire permet de reposer des questions de toutes les époques : Qu'est-ce que croire ? Qu'est-ce qui donne un sens à la vie ?
Les rares parallèles biographiques entre les *Trois Contes* et la vie de Flaubert (les lieux au début d'*Un cœur simple*, le vitrail de *La Légende*, la danse de Salomé par exemple) sont donc des fausses pistes. Le style de Flaubert, reconnaissable et inimitable, la réussite esthétique qu'il représente, expliquent seuls la postérité et la pérennité de son œuvre d'artiste.

Sujet 11

Alors qu'on pouvait lire dans la revue *Le Réalisme* (1860), « Le réalisme conclut à la reproduction exacte, complète, sincère du milieu social, de l'époque où l'on vit », Montherlant (1896-1972) a écrit : « Il ne faut pas qu'un écrivain s'intéresse trop à son époque, sous peine de faire des œuvres qui n'intéressent que son époque. » Vous commenterez et discuterez ces deux points de vue sur la tâche de l'écrivain.

■ Indications pour traiter le sujet.
Les deux citations ne s'opposent pas vraiment : Montherlant pense à la postérité d'une œuvre, aux générations successives de lecteurs qui n'ont pas forcément connu la société de l'auteur, il ne dit pas qu'un écrivain doit se désintéresser de la société de son temps.
Dire que la littérature réaliste est une « reproduction exacte, complète » est trompeur car la littérature suppose des lecteurs : elle ne peut donc se substituer au réel lui-même. En fait, la revue *Le Réalisme* définit le lectorat qu'elle recherche (le plus large possible) et s'adresse aux lecteurs de 1860, époque qui voit s'affirmer la puissance des machines inventées par l'homme et qui connaît de grands changements sociaux. Même Zola, qui est très attaché à la « reproduction exacte, complète » de la réalité et qui se documente beaucoup pour cela, adopte un style volontiers imagé et épique : pas question donc pour la littérature de se contenter d'être le reflet d'une actualité qui serait vite périmée.
Le libellé pose la question du rapport existant entre l'acte créateur et l'Histoire. Avec *Hérodias*, Flaubert et ses lecteurs ont besoin de s'évader de la France de la fin des années 1870. Mais ce qui compte beaucoup plus, c'est la vision du monde de Flaubert, sa manière de composer une œuvre d'art qui vaut pour elle-même et qui survit à son créateur car elle continue de parler aux lecteurs, quelle que soit leur époque.

BIBLIOGRAPHIE

Flaubert : la vie et l'œuvre

BIASI DE Pierre-Marc, *Flaubert l'homme-plume*, coll. « Découvertes », Gallimard, 2002.

Sur le contexte historique et culturel

MAYEUR Jean-Marie, *Les Débuts de la IIIe République*, 1871-1898, coll. « Points Histoire », Le Seuil, 1973.

Pour comprendre l'œuvre de Flaubert

BERTHELOT Sandrine, *Gustave Flaubert*, coll. « Mentor », Ellipses, 1999.

FLAUBERT Gustave, *Correspondance*, Choix et présentation de Bernard MASSON, coll. « Folio classique », n° 3126, Gallimard, 2002.

MARTINEZ Michel, *Les Romans de Flaubert*, coll. « Mémo », Le Seuil, 1998.

Sur Trois Contes

LUND HANS Peter, *Gustave Flaubert,* Trois Contes, coll. « Études littéraires », PUF, 1994.

Roman inspiré par Un cœur simple

BARNES Julian, *Le Perroquet de Flaubert*, coll. « Cosmopolite », Stock, 2000.

Sites Internet

Une approche universitaire de l'œuvre :
http://www.univ-rouen.fr/flaubert/

Séquence pour une classe de 3e :
http://www.ac-rouen.fr/pedagogie/equipes/lettres/sequences/seq_3/3contes/3contes.htm

Photographies de la forteresse de Machærous :
http://www.christusrex.org/www1/ofm/sbf/escurs/Giord/05GiordEn.html

Sur saint Jean-Baptiste :
http://www.insecula.com/contact/A005888.html

Sur Jésus, Hérode, les Esséniens :
http://www.lepoint.fr/dossiers_societe/document.html?did=129148

Sur la cathédrale de Rouen :
http://architecture.relig.free.fr/rouen.htm

Sur le vitrail de saint Julien l'Hospitalier :
http://www.cathedrale-rouen.net/patrimoine/expositions/vitraux/st_julien/saint_julien.htm
http://www.rouen-histoire.com/Vitraux/Saint_Julien/Index.html
http://auteurs.normands.free.fr/stjulien.htm
http://auteurs.normands.free.fr/peintureverre.htm

Collection Classiques & Cie

6 Abbé Prévost
Manon Lescaut

41 Balzac
Le Chef-d'œuvre inconnu
Sarrasine

47 Balzac
Le Colonel Chabert

11 Balzac
Histoire des Treize
(Ferragus - La Duchesse de Langeais La Fille aux yeux d'or)

3 Balzac
La Peau de chagrin

34 Balzac
Le Père Goriot

42 Barbey d'Aurevilly
Les Diaboliques

20 Baudelaire
Les Fleurs du mal

15 Beaumarchais
Le Mariage de Figaro

2 Corneille
L'Illusion comique

38 Diderot
Jacques le Fataliste

17 Flaubert
Madame Bovary

44 Flaubert
Trois Contes

4 Hugo
Le Dernier Jour d'un condamné

21 Hugo
Ruy Blas

8 Jarry
Ubu roi

36 La Bruyère
Les Caractères
(De la ville - De la cour Des grands - Du souvenir ou de la république)

5 Laclos
Les Liaisons dangereuses

14 La Fayette (Mme de)
La Princesse de Clèves

46 Marivaux
L'île des Esclaves

12 Marivaux
Le Jeu de l'amour et du hasard

30 Maupassant
Bel-Ami

18 Maupassant
Nouvelles

27 Maupassant
Pierre et Jean

40 Maupassant
Une vie

1 Molière
Dom Juan

19 Molière
L'École des femmes

25 Molière
Le Misanthrope

9 Molière
Le Tartuffe

45 Montesquieu
Lettres persanes

10 Musset
Lorenzaccio

35 **La poésie française au XIXe siècle**

26 Rabelais
Pantagruel - Gargantua
31 Racine
Andromaque
22 Racine
Bérénice
23 Racine
Britannicus
7 Racine
Phèdre
37 Rostand
Cyrano de Bergerac
16 Rousseau
Les Confessions
32 Stendhal
Le Rouge et le Noir
39 Verne
Le Château des Carpathes
13 Voltaire
Candide
24 Voltaire
L'Ingénu
33 Voltaire
Zadig
29 Zola
L'Assommoir
28 Zola
Germinal
43 Zola
Thérèse Raquin

Achevé d'imprimer par Grafica Veneta à Trebaseleghe - Italie
Dépôt légal 96637-8/01 - Août 2012